Читайте смешные детективы
Дарьи Калининой!

Цветочное алиби
Золото фамильного склепа
Казино «Пляшущий бегемот»
Миллион под брачным ложем
Фанат Казановы
Когда соблазняет женщина
Рай на пять звезд
Секреты бабушки Ванги
Гетера с лимонами
Любовник от бога
Наследница английских лордов
Третья степень близости
Миланский тур на двоих
Стучат — закройте дверь!
Берегись свекрови!
Перед смертью не накрасишься
Челюсти судьбы
Дай! Дай! Дай!
Полюблю и отравлю
Три принца для Золушки
Умри богатым!
Ночь любви в противогазе
Дудочка альфонса
Шито-крыто!
Киллер на диете
Бабы Али-бабы
Королевские цацки
Теща-привидение
Почему мужчины врут
Русалочка в шампанском
Амазонки под черными парусами
Верхом на птице счастья
Волшебный яд любви
Приворот от ворот
Рука, сердце и кошелек

Алмаз в декольте
Игры любвеобильных фей
Рай в неглиже
Царевна золотой горы
Колючки на брачной постели
Поцелуй вверх тормашками
Поваренная книга вуду
Двойная жизнь волшебницы
Босиком по стразам
Развод за одну ночь
На шпильках по джунглям
Жертвы веселой вдовушки
Дело гангстера боится
Гарем шоколадного зайки
Любовь до хрустального гроба
Сердце красавицы склонно к измене
Властелин брачных колец
Огонь, вода и медные гроши
Без штанов — но в шляпе
Обещать — не значит жениться
Знойная женщина — мечта буржуя
К колдунье не ходи
Хозяйка праздника жизни
Затащи меня в Эдем
На стрелку с ангелами
Последняя ночь под звездами
Папа Карло из Монте-Карло
Клад Царя Гороха
Готовь завещание летом
С царского плеча
Свет в конце Бродвея
Бриллианты в шоколаде
Музей идеальных фигур
Рожки и длинные ножки
Шахматы на раздевание
Остров в море наслаждений

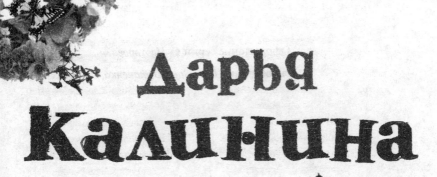

Дарья
КАЛИНИНА

Полуночный
танец,
кентавров

Москва 2014
ЭКСМО

УДК 821.161.1-312.4
ББК 84(2Рос=Рус)6-44
К 17

Оформление серии *С. Прохорова*

Иллюстрация *Вячеслава Остапенко*

Калинина, Дарья Александровна.

К 17   Полуночный танец кентавров : роман / Дарья Калинина. — Москва : Эксмо, 2014. — 320 с.— (Детектив-приключение Д. Калининой).

ISBN 978-5-699-77081-6

Размеренную жизнь в имении «Дубочки» нарушил неожиданный приезд незваных гостей — тети Веры и ее дочери Арины. Сама хозяйка дома Алена с детства терпеть не могла вредную и завистливую тетю Веру, но отказать ей означало обидеть подругу мамы, а этого делать ну никак не хотелось. Наговорив всем гадостей и распустив кучу гнусных сплетен, тетя Вера исчезла, а в ее постели обнаружили труп незнакомой женщины. Вскоре была убита работница имения, глупая толстушка Наташа, с которой, по словам очевидцев, крутил роман муж Алены, безобидный и верный Василий Петрович. Надо срочно вызывать на помощь подругу Ингу, ведь в разгаре предвыборная гонка, а Василий — один из ее фаворитов!..

УДК 821.161.1-312.4
ББК 84(2Рос=Рус)6-44

ISBN 978-5-699-77081-6

Глава 1

Глядя прямо на стоящую перед ней на столе вазу с алыми пионами, Алена не видела роскошных цветов. Она смотрела на них остановившимся взглядом и ни красоты хрустальной вазы, ни прелести свежих, срезанных всего час назад, цветов не замечала. А все потому, что Алена пыталась осмыслить ужасную новость, которую ей только что сообщила по скайпу мама. Эта новость была для Алены словно удар тяжелым мешком по голове, светлое утро омрачилось, и даже солнце, всходящее над горизонтом, казалось, замедлило свой ход и сейчас раздумывало, двигаться ему дальше или закатиться назад.

Конечно, кому-то другому новость вовсе и не показалась бы такой уж ужасной, но для Алены фраза «тетя Вера едет к вам в гости» являлась форменным концом света. Хуже этого известия для нее ничего и быть не могло, потому что более мерзкой, пакостной и вредной тетки за свою жизнь Алена припомнить не могла.

И ведь тетя Вера даже не была ее настоящей теткой, чтобы мириться с ней и ее выходками, утешаясь мудрым изречением, что родственников мы себе не выбираем. Нет! В том-то и дело, что тетка Вера была всего лишь подругой мамы Алены. Пусть подругой давнишней, очень хорошей и многократно проверенной, умеющей сочувственно внимать всем маминым рассказам, но никакой не родственницей, от которой нельзя отказаться, а всего лишь подругой, от которой отказаться очень даже запросто можно!

И тем не менее мама Алены не желала прислушиваться к просьбам дочери пореже звать к ним тетю Веру, так как она очень противная.

— Что ты придумываешь? — восклицала она обычно в ответ и неизменно прибавляла: — Вера — моя лучшая подруга. Если любишь меня, будь добра, держись с ней если не приветливо, то хотя бы вежливо!

И продолжала дружить с теткой Верой, игнорируя явную антипатию своей дочери к этой особе. В результате Алена помнила тетю Веру столько же, сколько помнила себя. И всегда при звуках ее высокого, даже чуточку визгливого голоса у Алены дико начинала болеть голова. Алена и сейчас ощущала первые симптомы подступающей мигрени, и ее потянуло в кровать, где она обычно пережидала периоды, которые приходились на гостевые визиты тетки Веры.

Это давало тете Вере возможность лишний раз покритиковать Алену перед ее мамой:

— И что это у тебя девчонка все время в кровати валяется?

— Прихватило ее, непонятно и с чего. Вчера еще здорова была, а сегодня утром, как вы к нам в гости собираться начали, притихла и в кровать попросилась.

Но тетка Вера выводов из сказанного не делала, а снова недовольно морщила свой длинный нос:

— Больная она у тебя какая-то! Вот моя Аришенька, тьфу-тьфу, ни разу за целый год даже не чихнула. Здоровая девочка у меня растет. А твоя, как ни приду, все время недужит!

Но если не считать теткиного недовольства Алениным слабым здоровьем, во всем остальном ей навещать свою подругу нравилось. И еще бы! Ведь к ее приходу мама неизменно накрывала богатый стол, выставляя самые лучшие, припасенные загодя деликатесы и обязательно — огромный кремовый торт. Тетка Вера ничего так не обожала, как эти магазинные тортики, и чем больше в них было жирных сливок или какого другого крема, тем было лучше. Алене иногда даже казалось: если бы выпускали торты, состоящие из одного только крема, то тетка Вера оказалась бы первой в очереди покупателей.

А так она еще бывала и недовольна:

— Что-то бисквит нынче суховат, — критиковала она свою подругу. — Вот моя мама на прошлой неделе купила буше, так они прямо текли в руках, такие были сочные. А у тебя тортик неудачный, просроченный, наверное.

— Дата сегодняшняя, — деликатно замечала мама Алены.

— Будто бы в магазине переклеить не могли! Знаю я, как они там умеют! Сама в торговле не один год проработала, так что уж ты мне можешь не рассказывать!

— Кушай моя дорогая, кушай эклеры и конфетки.

— Конфеты, как я погляжу, у тебя с ликером? Оставь их себе! Ты же знаешь, я к спиртному не очень.

И действительно, тетка Вера была убежденной трезвенницей — что есть, то есть. Но лично самой Алене всегда казалось, что лучше бы уж тетя Вера выпивала, чем сидеть на всех праздниках трезвой и зудеть. Как это неприятно, когда вокруг все выпивают, и еще всяко обсуждать окружающих и злобно сплетничать на их счет.

Самой Алене куда больше нравилась другая мамина подруга — хохотушка и острячка тетя Рита, которая могла бутылочку вина за один присест влить в себя, а за вечер так даже две или три. А если наливали коньячка или водочки, то и их не брезговала употребить.

Это давало тетке Вере возможность пройтись по поводу морального облика тети Риты, что, в общем-то, было близко к правде. Излишним соблюдением норм морали тетя Рита себя не утруждала. Но зато за словом в карман она никогда не лезла, умела всем поднять настроение, с ней всегда было хорошо и весело. Она не зудела, не ставила всем в пример себя или свою семью, а просто умела радоваться жизни и радовать других. В ее присутствии даже тетя Вера становилась чуточку добрее. Совсем чуточку, но все же...

Но веселая тетя Рита умерла почти десять лет назад, а вот противная тетя Вера жила и на тот свет явно не собиралась. Хотя теперь, если верить маме, у нее появилась какая-то серьезная болячка, для профилактики которой врачи назначили длительное пребывание тети Веры на свежем воздухе в экологически благоприятном месте.

— А у вас в «Дубочках» экология великолепная.

— Это правда, — подтвердила Алена без всякой задней мысли, еще не чуя подвоха в маминых словах.

И тогда мама нанесла решающий удар, сказав:

— Тетя Вера взяла на работе отпуск и теперь едет к тебе.

— Как ко мне? — дернулась Алена. — А почему ко мне?

— Ну же, Аленушка, сама подумай, а куда еще бедной тете Вере податься? Ты же знаешь: дачи у них с Ариной нет, свободных денег, чтобы снять домик за городом, тоже. А врачи настоятельно рекомендуют Вере смену обстановки и отдых.

— Но почему у меня? — пыталась сопротивляться Алена, хотя заранее знала: все ее попытки возражать маме обречены на провал.

У нее никогда не получалось внушить маме правильный взгляд на вещи. Или хотя бы добиться, чтобы та ее просто услышала.

Вот и сейчас мама в ответ на мольбу в голосе дочери категорически заявила:

— Алена, что за шутки? Ты знаешь тетю Веру уже столько лет! Она тебе как родная. И сейчас, когда она заболела, неужели, ты ей откажешь в маленькой комнатке? У вас с Васей огромный и такой прекрасный дом!

— И что? Только поэтому его надо изгадить?

— Как ты выражаешься! И потом, ты же всегда любила тетю Веру.

— Никогда я ее не любила! Терпеть ее не могу!

— Алена, ты меня огорчаешь. Я уже заверила Веру, что ты будешь рада принять ее у себя. Зачем ты меня так подставляешь?

— Я не подставляю... — пробормотала Алена, уже чувствуя, что теряет почву под ногами.

— И что я должна теперь ей сказать? — набрала обороты мама. — Что моя дочь отказывает в гостеприимстве смертельно больному человеку? Моей подруге?

Алена чувствовала, что мамин голос начинает дрожать. А доводить маму до слез Алене не хотелось. В отличие от тетки Веры, которая, как была уверена Алена, лишь притворялась больной, у самой Алениной мамы были и гипертония, и проблемы с сердцем и сосудами. Ей как раз нельзя было волноваться.

И Алена пошла на уступки:

— Ладно, — проворчала она. — Пусть тетя Вера приезжает и живет у нас. Но что хоть у нее на этот раз?

— Все очень плохо! — тут же кинулась делиться с ней мама. — Вера была у врача, сдала тест на какие-то онкомаркеры, и они у нее превышают норму. Понимаешь, что это может значить?

Голос у мамы сделался трагичным и многозначительным.

— Понимаешь? — повторила она.

— Ну да... это не очень хорошо.

Алена даже удивилась, услышав про плохие анализы. Неужели на этот раз тетка Вера и впрямь заболела? На памяти самой Алены тетка Вера не болела ни разу. Кажется, только один раз у нее загноился волдырь на пятке, а еще один раз прихватило поджелудочную, когда тетка пожадничала и за один день умяла сразу три торта, подаренных ей ко дню рождения. Очень уж они все три были вкусные, а срок годности заканчивался, жалко было бы выбросить такую вкусноту.

Впрочем, тот инцидент позволил тетке Вере начать новый виток своих бесконечных жалоб. И если раньше она жаловалась только на мужа-подлеца, бросившего ее с грудным ребенком, на соседей-алкашей, доводящих ее своими выходками до белого каления, и на выжившую из ума тетушку, которая хочет ее смерти, то теперь к этим жалобам присоединились еще и жалобы на здоровье, пошатнувшееся, разумеется, в результате плохой экологии, а вовсе не собственного теткиного обжорства.

Но Алене всегда казалось, что муж, проживший с теткой Верой в браке четыре года, еще долго терпел ее саму и ее бесконечный бубнеж, и зудеж, и пиление его на части. В этом тетка Вера усердствовала особо, то ли надеясь выпилить в итоге из муженька нечто совершенно особенное и уникальное, то ли просто потому, что ей доставлял удовольствие сам процесс. И Алена всегда считала, что четыре года с теткой Верой — это было еще очень долго, мужику следовало поставить еще при жизни памятник за терпение и выдержку.

А соседи-алкоголики, которые так изводили одно время тетку Веру, почему-то тоже куда-то потом подевались. Ну а что касается полоумной тетушки, то она оставила тетке Вере свою квартиру, что, конечно же, говорило не в пользу ее здравого смысла, но все же Алене всегда казалось, что тетке Вере обзывать при этом старушку выжившей из ума сумасшедшей не стоило.

В общем, не все в жизни тети Веры было так плохо, как она это представляла окружающим. Но такая уж была она личность, что любила давить на жалость и активно пользовалась добротой окружающих, стремящихся помочь бедной одинокой матери чем могли. Зачастую Алена наблюдала, как люди отдавали тетке Вере последнее или делились с ней единственным куском, даже не подозревая, что дома в загашнике у тети Веры этих самых кусков скопилось уже на целый каравай.

Поэтому рассказы тетки Веры о собственном пошатнувшемся здоровье Алена выслушивала с некоторой долей скептицизма. Ей не казалось, что тетка Вера так уж больна. Во всяком случае, портить жизнь окружающим — на это у нее здоровья вполне хватало.

— Правда, обследование никаких патологий у Веры не выявило, — продолжала рассказывать мама, и Алена лишь усмехнулась про себя тому, как верно она угадала.

Но следующая фраза мамы повергла Алену в шоковое состояние уже всерьез и надолго.

— И тем не менее Вера приедет к тебе и побудет у вас до тех пор, пока ее здоровье не улучшится. Она уже села в поезд и едет, встречайте ее часа через полтора, для этого я тебе и звоню.

Вот с этой минуты ясный день для Алены померк навсегда. Она попыталась уточнить у мамы, сколько же будет поправляться здоровье тети Веры, но мама, которая уже сказала все, что хотела, быстро сама свернула разговор и попрощалась с дочерью. А Алена, посидев с выключившимся планшетом один на один и поняв, что ничего так не высидит, побрела за поддержкой к мужу.

Она застала его в холле, муж собирался уходить по делам.

Алена простерла к нему руки и трагически воскликнула:

— Вася, к нам едет тетя Вера!

Но Василий Петрович — супруг Алены — не осознал размера надвигающейся на них беды. Скорее всего, просто не понял, о ком идет речь.

— Тетя Вера? — лишь рассеянно проронил он. — Что же, отлично. И когда она прибывает?

— Сегодня!

— Уже сегодня? Почему же ты меня не предупредила заранее?

— Я и сама не знала.

— Ну что же, сегодня так сегодня, — миролюбиво пробубнил Василий Петрович, который всегда был рад видеть в своем доме друзей жены. — Тогда я пошлю на станцию кого-нибудь ее встретить. Или ты хочешь поехать сама?

— Ни в коем случае! — категорически отказалась Алена, которой хотелось оттянуть момент встречи с тетей Верой. — И знаешь, мне что-то нехорошо.

— Что такое?

— Сама не понимаю. Но я в последнее время все время чувствую недомогание. Такая слабость иной раз охватывает... И аппетита совсем нет.

И словно бы эта мысль только что пришла ей в голову, она произнесла:

— Послушай, Вася... а может, мне съездить в санаторий? Или дом отдыха? Подлечиться там? Ну, скажем, месяц-другой?

«Или сколько там пробудет у нас противная тетка Вера!»

— А чем тебе у нас не санаторий? — тут же возразил жене Василий Петрович, причем голос его звучал чуточку обиженно.

Слишком поздно Алена поняла, что со своим предложением поехать и подлечиться куда-то в другое место крупно попала впросак. В словах своей жены Василий Петрович усмотрел невнимание к его обожаемым «Дубочкам» — поместью, где все было создано буквально с нуля его собственными руками. И то образцово-показательное, как сказали бы раньше, хозяйство, которое тут имелось, также было исключительно делом его рук, нервов, ну и денег, разумеется.

Теперь помимо многочисленных хозяйственных построек в «Дубочках» был и целый санаторно-курортный комплекс, предоставляющий широкий перечень услуг.

— Если желаешь пить минеральные воды, то у нас их, позволь тебе напомнить, целых три источника. Один другого лучше!

— Да-да, — покивала головой Алена. — Я помню.

Идея с поездкой на лечебный курорт была провальной, и как она сама не смекнула, что если у них имеется пансионат с водо- и грязелечебницами, где все страждущие могли при желании поправить свое здоровье, то поездку на какой-то другой курорт Василий Петрович воспримет исключительно как личное оскорбление.

Но Василий Петрович уже снова был в хорошем настроении и предложил жене:

— А что? Может, тебе и впрямь полечиться у нас? Опробовать на себе то, что мы предлагаем людям.

И сама полечишься, и эту твою тетю Веру подлечишь. Ведь не девочка уже, а?

И муж игриво попытался ущипнуть Алену за бок. Но та в преддверии приезда неприятной гостьи была не в том настроении, чтобы выслушивать его шуточки.

— Кто не девочка? — обозлилась Алена на мужа. — Я?

— Эй, потише, — отступил на шаг назад перепуганный Василий Петрович. — Спрячь когти, я имел в виду нашу гостью.

— А... ну да, она-то уж точно не девочка. Слушай, Вася, а нельзя как-нибудь сделать, чтобы она к нам не приезжала?

— Ну ты даешь! — еще больше изумился супруг. — Не хотела, так зачем звала?

— Я и не звала. Это все мама. Она ее пригласила.

— Ах, мама... Ну, с мамой ссориться нельзя. Так что ты уж перетерпи как-нибудь. Надолго хоть она к нам едет?

— Наверное.

— Ну, что я могу тебе сказать, — развел руками муж. — Держись!

И ушел! Алена сердито смотрела на захлопнувшуюся у нее перед носом дверь и чувствовала нарастающее в груди возмущение. «Держись!» Хорошо ему говорить. Василий Петрович целый день мотается по делам из одного конца «Дубочков» в другой. И дома появляется лишь поздно вечером, когда уже многие спят, а если не спят, то готовятся ко сну. И значит, именно Алене придется проводить с противной теткой Верой целые дни напролет — развлекать ее, ухаживать за ней и всячески стараться сделать ее пребывание в «Дубочках» приятным. Ведь гостья же, никуда не денешься. И избежать этого никак не удастся, ведь если честно — никаких четких обязанностей в поместье у самой Алены нет. И конечно, тетке Вере это отлично известно.

— Вася! — кинулась Алена за мужем, когда ее посетила следующая светлая идея, как избежать тесного контакта с теткой Верой. — А что, если мое недомогание просто от скуки?

— Ты думаешь?

— Точно! От скуки! И что, если я лично займусь работой по организации праздника? А? Что скажешь? Только если да, то чтобы официально!

Муж, который уже садился в машину, затормозил и недоуменно взглянул на Алену. Он прекрасно знал, о каком празднике говорит его жена. Пятнадцать лет существования и процветания их любимых «Дубочков». По этому случаю в имении планировалась целая куча мероприятий. И прежде Алена всячески увиливала от их организации.

Именно об этом Василий Петрович и не преминул напомнить жене:

— Ты же не хотела этим заниматься? Говорила, что у тебя не получится!

— А теперь думаю, что получится. Тем более что все равно они ко мне за всяким советом постоянно бегают.

— Если хочешь помочь, я буду только рад.

— Только оформи меня официально.

— Это как?

— По трудовому договору. А лучше по трудовой.

Муж в ответ лишь молча воззрился на супругу, но так как он был уже человеком зрелым, то годы научили его одной простой вещи: если хочешь семейного счастья, никогда не спорь со своей женой. Вот и сейчас он лишь покладисто кивнул головой и сдержанно сказал:

— Как желаешь, дорогая.

— Значит, ты берешь меня на работу? — обрадовалась Алена.

— С сегодняшнего же дня ты зачислена в штат сотрудников пиар-отдела. Да что там — в штат! Ты сама его и возглавишь!

И очень довольный тем, как он решил этот вопрос, Василий Петрович запрыгнул в машину и торопливо кивнул своему водителю:

— Поехали!

И лишь после того, как машина тронулась с места, рискнул повернуться к своей жене и помахать ей рукой. Алена сделала несколько шагов следом за машиной мужа, и Василий Петрович тут же испуганно юркнул назад. Разговаривать с женой дальше, когда она находилась в таком возбужденном и раздраженном состоянии, ему явно не хотелось. А ведь Алена всего лишь хотела уточнить, как же быть с Натальей Кирилловной, которая в данный момент возглавляет пиар-отдел «Дубочков».

Надо сказать, что пиар-отдел появился в усадьбе сравнительно недавно, всего около года назад. Пиаром или рекламой своей деятельности и всем происходящим в «Дубочках» Василий Петрович озаботился в связи с тем, что надумал баллотироваться в совет депутатов сельского поселения, к которому относились и «Дубочки». Да еще впоследствии Василий Петрович хотел весь, так называемый, сельский совет заполнить своими людьми, то есть людьми, отвечающими его требованиям.

— И если «Дубочки» я из ничего практически конфеткой сделал, так, глядишь, и всю область подниму. Не один, конечно. Одному мне такое дело не потянуть, но с верными людьми очень даже запросто справлюсь.

И Василий Петрович пускался в философские рассуждения.

— Ведь отчего у нас все так плохо? — спрашивал он и сам же отвечал: — А оттого, что воруют много. Ведь не только те, кто высоко сидит, воруют. Каждый, даже самый маленький человечек, на каком бы месте ни сидел, что плохо на расстоянии руки лежит, все к себе за пазуху, а потом в дом тащит. Если из ста человек хотя бы десять не воруют, то уже хорошо.

— И с этими десятью дело можно делать, — неосмотрительно вставлял реплику «собеседник», отчего Василий Петрович негодующе цыкал на него и продолжал:

— Но тут ведь опять вопрос имеется: почему эти десять-то не воруют? Оттого ли, что им не дают этого делать? Или они боятся воровать? Или попросту слишком глупы, чтобы смекнуть, что можно взять и при этом безнаказанным остаться? С такими каши все равно не сваришь.

— А что же делать?

— Надо таких людей искать, которых не страх заставляет жить честно, не законы, а их собственные убеждения. Таких людей, у которых, как говорят финны, Бог в душе живет. И не важно, ходят они при этом в церковь или нет. Конечно, лучше бы, чтобы ходили, но для моей затеи не это главное. Главное, что живут эти люди по закону, не воруют и не обманывают. А потому и дело с ними можно начинать. Вот несколько таких человечков у меня уже есть. Еще пяток бы найти — и порядок, можно двигаться в депутаты, а там, глядишь, и в губернаторы.

Тот факт, что заняться Василий Петрович хотел делами одной маленькой и отнюдь не процветающей области, говорил не о его скромности, а о его осторожности.

— Попробовать сначала хочу, что и как. Никогда в кресле политика не сидел, каково там? Может, еще и не усижу. Тогда и людей подведу, и сам посмешищем сделаюсь.

Но так или иначе, а Алена в успех своего мужа верила. Василию Петровичу всегда удавалось задуманное, может быть, именно потому, что он никогда не ставил перед собой слишком больших задач, а двигался потихонечку, поднимаясь с одной ступеньки на другую.

И вот теперь в целях привлечения масс широкой общественности к своей фигуре Василий Петрович постарался сделать «Дубочки» максимально открытым местом для посторонних. И в связи с этим предстоящее празднование пятнадцатилетия существования «Дубочков» должно было пройти с особым размахом.

— Чем больше народу приедет на праздник, чем лучше мы их встретим, тем охотнее они впоследствии отдадут за меня свои голоса.

Это Василий Петрович твердил с подачи все той же Натальи Кирилловны, возглавлявшей будущий штаб предвыборной деятельности хозяина «Дубочков». Понимая, что, раз он сам ни черта не соображает в выборах и предвосхищающей их кампании и надо будет ему привлечь для этой цели знающих людей, Василий Петрович создал нечто вроде пиар-отдела, который занимался исключительно одним делом, а именно — рекламой достижений Василия Петровича и его «Дубочков».

Сама Алена была далека от политических амбиций супруга. На все его разговоры о том, что он будет идти на выборы, она лишь отвечала:

— Ты будешь хорошим депутатом. Ты ведь уже и сейчас заботишься о своих людях, хотя тебя никто не заставляет это делать.

Алена знала, о чем говорила. Ей, как никому другому, было хорошо известно, что все работающие на Василия Петровича люди, один раз устроившись к нему в поместье на работу, почти никогда не уходили отсюда по своей воле. Все знали, что если случится с ними болезнь или другое несчастье, то о них обязательно должным образом позаботятся. Будет надо — положат в здешний лазарет, не поможет — отвезут в городскую клинику. А если уж совсем ничего не поможет, и тогда сильно волноваться не стоит. Чему быть, того не миновать, а о сиротах, вдовах и стариках в «Дубочках» обязательно позаботятся, никому пропасть не дадут.

Бездетный Василий Петрович искренне считал всех работающих на него людей своими отпрысками, существами, родными ему если не по крови, то по духу — уж совершенно точно. Ведь они все трудятся на благо и процветание поместья, а значит, должны быть счастливы и веселы. Потому «Дубочки» являлись очень комфортным и приятным для проживания местом. И Алене очень не хотелось, чтобы тетка

Вера сунула бы к ним свой нос, вечно вынюхивающий что-то вонючее или, наоборот, сладкое.

— Вонючего ей тут не найти, а вот сладкого — до отвала.

А Алене по какой-то причине не хотелось, чтобы тетка Вера пользовалась добротой Василия Петровича и его щедростью.

— А ведь он ей точно примется помогать. Уж я-то знаю!

Тетка Вера умела так хитро прикинуться нуждающейся в помощи и поддержке, что оставалось только удивляться, почему, получая все это от окружающих, тетка Вера по-прежнему выглядела жалкой, убогой и несчастной.

И почему так было, сказать никто не мог. Ведь все, за что бы ни бралась тетка Вера, за исключением собственного замужества, обязательно ладилось у нее в руках. Всегда и всюду она не успокаивалась, пока не получала от жизни все положенные ей материальные поощрения и блага. Зарабатывать она всегда умудрялась очень хорошо, квартиру от тети сумела получить, брата своего сумела так удачно женить, что тот не только из родительской квартиры выписался, но и свою долю оставил сестре — бедной, несчастной и одинокой.

Хотя почему одинокой? У тетки Веры была дочь. Та самая Аришенька с крепким здоровьем, которую женщина постоянно ставила в пример другим детям. Тетка Вера свою дочь обожала. А Алена, наоборот, терпеть ее не могла. Аришенька была младше ее на пять лет, но хитрить всегда умела, как взрослая. И когда девочки играли вместе, как-то всегда так получалось, что Алене приходилось уступать младшей Арише, да еще и дарить той свои игрушки, потому что ведь у Ариши ничегошеньки, ну просто совсем ничегошеньки не было. И Алена дарила. Придя к ним в гости на день рождения Алены или на другой какой-то праздник и подарив имениннице скромный подарок, после окончания праздника тетка Вера с Аришей уходили, чуть ли не сгибаясь под тяжестью набранных у Алены игрушек.

И не то чтобы Алене было жалко этих игрушек, просто ее всегда удивляло другое. А именно: куда потом тетка Вера девает всех этих мишек, кукол, кубики, конструкторы, мячи и другое? Ведь, сколько бы ни приходила к ним в гости Алена, ни одну из своих игрушек она никогда в руках у Ариши не видела. Ей даже казалось, что тетка Вера специально перед их приходом прячет подальше Аленины бывшие игрушки, чтобы хозяйка, не приведи бог, не опознала бы в них свою собственность и не потребовала бы ее назад.

Одним словом, тетя Вера была существом крайне Алене неприятным. Видеться с ней у Алены не было никакого желания. И поэтому Алене, как ей тогда казалось, удалось придумать отличный выход из ситуации.

— Если я буду целый день занята руководством подготовкой праздника, то мне не придется возиться с теткой Верой. И, рано или поздно, ей тут все наскучит, она поймет, что у меня своя жизнь, мне не до нее, и свалит от нас насовсем!

И повеселевшая Алена устремилась на второй этаж их дома, где обосновался пиар-отдел, отвечающий за все связи с общественностью, какие только могли появиться в «Дубочках». Одно только омрачало, казалось бы, такой великолепный план. А именно: у пиар-отдела уже была своя руководительница — Наталья Кирилловна, дама еще довольно молодая и очень амбициозная. И сейчас Алене предстояло сообщить этой даме о том, что отныне бразды правления переходят из ее рук в руки хозяйки поместья. Сама Алена не видела в этом особой проблемы: в конце концов, она жена хозяина, это ее муж собирается баллотироваться в депутаты, а значит, она тоже не последняя сошка в поместье. И все же при мысли о том, что ей придется оповещать Наталью Кирилловну об отставке лично, руки у Алены начинали предательски холодеть.

Глава 2

До самого вечера Алене удавалось ловко уклоняться от встречи с теткой Верой. Она лишь вышла к ней ненадолго, когда тетку Веру привезли со станции и выгрузили возле входа в дом.

— Как замечательно, что вы к нам выбрались! — фальшиво улыбнулась гостье Алена. — Располагайтесь, надеюсь, что ваша комната вам понравится.

Тетка Вера вместо ответа уставилась на Алену своим пронизывающим до костей взглядом. Алене всегда становилось не по себе, когда тетка Вера так на нее смотрела. Алене почему-то сразу же припомнилось, как тетка Вера добралась до старых тетрадей самой Алены и принялась сравнивать ее почерк с почерком собственной дочери. Разумеется, сразу же оказалось, что Алена до сих пор пишет, словно курица лапой. В то время как младшая Аришенька буковки пишет ровненько, прямо на заглядение. Алена тогда пережила не слишком приятные несколько минут своей жизни, тем более что почерк у нее и впрямь был и долгое время оставался не ахти какой красивый, но все же привлекать внимание к этому вопросу при гостях Алене казалось не совсем правильным.

Но тут же Алена напомнила себе, что теперь она хозяйка и самой себе, и своей жизни. И подняв голову, взглянула прямо тете Вере в глаза. Словно в ответ та отступила на шаг назад, и взгляд ее сделался из насмешливого каким-то настороженным.

— Горничная вам покажет вашу комнату и, если нужно, поможет вам распаковать ваши вещи.

— Ого, — прищурилась в ответ тетя Вера, собрав на своем длинном носу целый ряд складочек. — Ты у нас теперь важная персона, раз у тебя и горничная имеется?

— Целых две, — с оттенком непонятной ей самой гордости сообщила Алена.

— Любит тебя, видимо, твой муж, раз двух горничных разрешил тебе нанять.

— А еще у нас есть повар, два ее помощника, садовник, прачка и целый штат прочей прислуги.

— А самой ручки пачкать, что... уже не хочется? Ты, я вижу, совсем зазналась. Погоди, дорогая, вот не станет у твоего мужа денег, что тогда станешь делать?

Алена даже задохнулась от возмущения. Вот так тетка Вера! Не успела приехать, уже гадостей наговорила.

А тетка Вера продолжала осуждающе бубнить:

— Отрываться от своих корней, забывать все, чему тебя учили в детстве, — это не дело. Ни я, ни твоя мама никогда прислуги не держали.

Алена хотела возразить, что, будь воля самой тетки Веры, она бы вообще пальцем о палец не ударила, а предоставила бы работать за себя другим, вот только финансы не позволяли ей так знатно расслабиться. Сколько бы ни зарабатывала тетка Вера, денег ей всегда не хватало. А нанять прислугу и платить той деньги ей не позволяла жадность.

Но Алена воздержалась от любых высказываний. Тетка Вера, как всегда, обожала поучать всех и каждого жизни, хвастаться своими успехами и втаптывать в грязь других. Интересно, как это получится у нее сейчас, когда она станет обитать в поместье всего лишь в качестве незваной гостьи.

Пока что у тетки Веры все отлично получалось. Она сразу же попыталась принизить Алену, указав той место прежней глупой девчонки, дурно воспитанной и вообще неуклюжей неумехи.

— И почему меня будет провожать какая-то незнакомая мне горничная? Где твое воспитание? А ты что же? Не можешь? Или, может быть, не хочешь со мной пообщаться?

Вот этого-то Алена и боялась — общения с теткой Верой тет-а-тет. Зажмет она Алену где-нибудь в углу и начнет выпытывать у нее все самое неприятное. Каким-то непостижимым образом тетке Вере удавалось нащупать больную мозоль каждого человека, и, как только это происходило, тетка Вера уже не могла отказать себе в удовольствии эту самую мозоль обмусолить со всех сторон, подавить на нее, пожамкать, а потом выставить на всеобщее обозрение и осуждение.

Нет, только не это! Не станет Алена тесно общаться с теткой Верой, пусть та и не надеется. И плевать, что тетка Вера обидится, нечего ее жалеть. Если ее сейчас же не отодвинуть на безопасное от себя расстояние, то потом пожалеть придется саму Алену.

Собрав волю в кулак, Алена сквозь зубы сдавленно произнесла:

— Простите, тетя Вера, но сегодня вам придется побыть в обществе горничных. Я очень занята.

— И что же у тебя за дела такие?

— Я расскажу вам о них за ужином. Тогда и увидимся. До встречи!

И Алена упорхнула обратно на второй этаж, где устроилась в библиотеке и под видом редактирования первого выпуска газеты «Дубочки», которую Василий Петрович собирался печатать, принялась перечитывать рассказы о животных Сетон-Томпсона, томик с которыми ей случайно попал в руки. Алена читала эту книжку в детстве и теперь, случайно наткнувшись взглядом на знакомый переплет, невольно потянулась к нему. Книжка погрузила Алену в мир ковбойского Запада, американских хвойных лесов и бескрайних просторов, населенных дикими и домашними животными, ведущими жизнь простую, но в то же время занимательную.

Дочитав о приключениях маленькой самки койота Тито, Алена уронила книжку на колени и задумалась. Чем живут герои, о которых она только что читала? Казалось бы, все у них просто: добыча пропитания, защита от врагов, борьба за выживание.

Но если вдуматься, не то же ли самое происходит и у людей? Только, конечно, в куда более изощренных формах.

И снова Алену невольно царапнула мысль, которая не давала ей покоя вот уже который час. Зачем все-таки тетка Вера приехала в «Дубочки»? В то, что она решила вдруг приобщиться к природе, которую всегда от души презирала, Алена не верила. Тетка Вера любой загород называла «глушью», и засесть в этой самой «глуши» ее могло заставить только нечто экстраординарное.

— Но уже хорошо то, что она приехала одна, без Арины.

Впрочем, оказалось, что Алена рано обрадовалась. Уже за ужином тетка Вера проинформировала ее о том, что завтра в поместье пожалует также и «подруга твоего детства». И когда Алена по рассеянности поинтересовалась, кто же это такая, тетка Вера обиженно воскликнула:

— Конечно же, Арина! Или у тебя так много подруг, с которыми ты сохранила хорошие отношения?

Алена только вздохнула в ответ. Тетка Вера была неисправима. Напрасно было бы ей объяснять, что она никогда и не дружила с ее дочерью. Да, они общались, вынуждены были общаться, поскольку дружили их мамы. Но друг к другу симпатии девочки никогда не испытывали. И вообще, трудно было бы найти человека, кроме, конечно, самой тетки Веры, ослепленной родительской любовью, кто бы симпатизировал Арине. Она была крайне эгоистична, хитра, любила подлизываться, но могла и нагрубить, и нахамить, и даже ударить, если считала, что это сойдет ей с рук.

Став взрослой, Алена постаралась избавиться от этого знакомства. И до сего дня ей казалось, что она успешно справилась со своей задумкой.

— Ну как? — допытывалась тем временем тетка Вера у Алены. — Ты рада? Такой сюрприз! Арина с огромным трудом выкроила небольшой отпуск, чтобы провести его с тобой. Но в связи с этим хочу тебе сказать, что комнатку мне можно было бы выделить и побольше.

Кровь бросилась Алене в лицо. Как бы она ни относилась к тетке Вере, она выделила ей самую лучшую гостевую спальню. Можно сказать, люкс.

Но тетя Вера так отнюдь не считала.

— В той, где ты меня поселила, мы вдвоем с Ариночкой не поместимся.

Ну конечно, как же на сорока квадратах-то двум женщинам и поместиться! Совершенно никак, это же яснее ясного.

— Тетя Вера, я уверена, что Арине будет удобнее жить в соседней с вами комнате.

— Она такая же крохотная, как и моя?

Алена стиснула зубы и ответила с любезной улыбкой, от которой у нее прямо скулы сводило:

— Арина там устроится с максимальным комфортом.

В ответ тетя Вера лишь снисходительно улыбнулась:

— Ох, моя дорогая, боюсь, что у вас с моей дочерью совсем разные представления о комфорте.

Алена только глаза вытаращила на тетку, удивляясь степени нахальства этой особы. Приехала, никем не званная, да еще и хает то, что ей предлагают. Но вслух Алена ничего не сказала, решив послушать, что будет дальше.

А тетка Вера, соскучившаяся за целый день изоляции, когда ей ровным счетом не с кем было поболтать, кроме прислуги, принялась с воодушевлением вещать:

— Ты даже вообразить себе не можешь, как высоко поднялась Арина за эти годы. Пока ты прозябала в этой дыре, она делала карьеру. Да-да! Не смотри на меня так, ты не ослышалась! Именно что карьеру!

— Ну да, она ведь закончила торговый колледж?

— Какой колледж! — всплеснула руками тетя Вера, словно бы Алена произнесла нечто неприличное. — Что ты! При чем тут колледж?

— Но чтобы строить карьеру, нужно образование.

— Арину полюбил один очень важный бизнесмен. Он владелец целой сети гипермаркетов, и он взял Арину к себе главой крупного гипермаркета. Вот чего достигла моя девочка, и совершенно самостоятельно!

— Интересно, — сдержанно отреагировала Алена, не поверив в эту историю ни на грош.

Но тетка Вера, когда речь заходила о ее любимой дочери, не нуждалась в поощрении. Ей самой настолько не терпелось рассказать, как продвигаются дела у Арины, что она почти подпрыгивала от нетерпения на стуле.

— Арина пришла устраиваться на работу, а этот человек увидел ее возле отдела кадров и сразу же позвал к себе. Поговорил с ней и предложил сначала место управляющего отделом, а через месяц назначил ее заместителем директора гипермаркета, а еще через месяц уволил директора и на его место поставил Арину!

При этом она стрельнула глазами на Василия Петровича, который невозмутимо поглощал свой ужин, не обращая внимания на болтовню гостьи, и на Наталью Кирилловну, которая также делила трапезу с хозяевами и которая в ответ вежливо приподняла брови, демонстрируя таким образом свое восхищение столь удачным стечением обстоятельств, приведших неизвестную ей Арину к вершине жизненного успеха.

Наталья Кирилловна была женщиной очень воспитанной и выдержанной. К тому же она являлась обладательницей безупречных манер и выглядела в любое время суток истинной леди. Как-то раз Алена столкнулась с ней среди ночи в коридоре. И если сама она шла в разношенных любимых шлепанцах, пошатываясь и зевая, а на голове у нее было настоящее воронье гнездо, то Наталья Кирилловна была свежа, как майская роза, на голове у нее была безупречная прическа, буквально волосок к волоску, и даже ее домашние тапочки были на каблучках, которые отбивали четкую дробь по плитке!

Поэтому Алена всегда немного робела перед Натальей Кирилловной. И еще ее очень занимал вопрос, что забыла в их деревенской глуши такая образованная дама, явно созданная для того, чтобы вращаться совсем в иных сферах. Алена много раз задавала мужу вопрос, что привело Наталью Кирилловну к ним в «Дубочки», но всегда слышала один и тот же ответ:

— Ей некуда больше пойти.

А когда Алена взбунтовалась и потребовала, чтобы муж дал ей более подробные объяснения присутствия в их доме этой еще нестарой и вполне миловидной женщины, Василий Петрович коротко изрек:

— Она вдова моего старого друга.

И еще как-то раз, расчувствовавшись по поводу какого-то праздника, добавил:

— Мой долг — помочь этой женщине излечиться от душевной травмы, которую нанесла ей гибель мужа. К тому же она умеет быть полезной. Так что, считай, я одним махом убил сразу двух зайцев. И доброе дело сделал, вдове своего друга материально помог. И хорошего работника себе нашел. Да еще какого работника! Наталья Кирилловна такой человек... Ей же цены нет!

Что да, то да. С этим утверждением Алена спорить не бралась. С появлением Натальи Кирилловны предвыборная кампания Василия Петровича сделала сильный рывок вперед. Василий Петрович выбился в лидеры, если судить по независимому опросу, который провела все та же Наталья Кирилловна в качестве мониторинга собственной деятельности.

Алена могла сказать, что даром свой хлеб Наталья Кирилловна никогда не ела. И на месте эта женщина почти не сидела, она трудилась не покладая рук. И что самое важное она добивалась результатов. Работа в предвыборной кампании хозяина «Дубочков» требовала от Натальи Кирилловны постоянного присутствия в поместье. Но когда Василий Петрович предложил ей поселиться в одном из домиков, которые он в изобилии строил для своих служащих, Наталья Кирилловна произнесла всего одну фразу:

— Мне будет удобнее жить в главной усадьбе.

Она поселилась в доме вместе с Аленой и Василием Петровичем. И что удивительно, хотя Наталья Кирилловна работала за деньги, но вся прислуга моментально начала слушаться ее наравне с хозяевами. А частенько, так даже и лучше, чем их. Если с Аленой горничные еще смели иной раз пререкаться, отстаивая свою точку зрения на тот или иной предмет, то с Натальей Кирилловной им такая дерзость и в голову не приходила.

Сейчас Наталья Кирилловна ужинала вместе с хозяевами и с любопытством наблюдала за поведением тетки Веры. Лицо Натальи Кирилловны было невозмутимо, но Алене почему-то казалось, что женщине тоже не нравится их гостья, и это их двоих как-то неожиданно сблизило друг с другом.

Тетка Вера как раз закончила рассказывать о том, какая молодец ее Арина, как радует она свою мать успехами и постоянно дает ей возможность гордиться своим дитем, и вдруг неожиданно обратилась к Алене:

— Ну а ты что же?

— Что я?

— Ты даешь повод твоей матери гордиться тобой?

И тетка Вера проницательно уставилась на Алену.

— Ты сегодня даже не захотела со мной поговорить, сказала, что чем-то очень занята. Чем же?

Алена открыла рот, чтобы соврать, как много и тяжело она сегодня трудилась под руководством Натальи Кирилловны, но муж опередил ее.

— Да я баллотируюсь в депутаты, и Алена возглавляет мою предвыборную кампанию, — произнес он, не заметив, как дрогнули нож и вилка в руках у Натальи Кирилловны.

Она даже ненадолго перестала жевать и вопросительно взглянула на хозяина. Но Василий Петрович смотрел на тетку Веру, и взгляда своей сотрудницы не заметил.

— Я доверил Алене эту работу, потому что уверен: она справится с ней лучше других.

Как уже говорилось, до сих пор пиар-отдел, который и занимался предвыборной кампанией Василия Петровича, возглавляла Наталья Кирилловна. И теперь она была явно ошеломлена полученной отставкой и еще более — формой, в которой эта отставка была получена. Дело в том, что Алена так и не набралась храбрости сказать Наталье Кирилловне правду. И сейчас она испугалась, что скандал разразится за столом.

Но Наталья Кирилловна была слишком хорошо воспитана и выдержана, чтобы устраивать разбор полетов прямо за ужином. Прошла минута, и женщина вновь начала жевать положенный ранее в рот кусок. Но, как заметила Алена, которая буквально сгорала от стыда, аппетит у Натальи Кирилловны заметно поубавился. Едва доев то, что уже было у нее в тарелке, она отказалась от десерта и ушла к себе, сославшись на занятость.

Однако Алена могла бы поклясться, что дело тут совсем в другом, и, едва дотерпев до конца ужина, побежала наверх.

— Наталья Кирилловна, дорогая моя, муж совсем не то имел в виду, когда говорил, что назначает меня главной по выборам.

Наталья Кирилловна подняла на голову, и Алене показалось, что в глазах у женщины блеснули слезы. Но это длилось всего лишь одно мгновение, уже в следующую секунду Наталья Кирилловна отвернулась от Алены и сухо произнесла:

— Я все понимаю. Вам нет нужды оправдываться.

— Нет-нет, вы не понимаете! Я попросила мужа, чтобы он дал мне какую-нибудь работу. Просто для отвода глаз.

В глазах Натальи Кирилловны появилось любопытство, и она спросила:

— Зачем вам это понадобилось?

— Потому что тетя Вера... Ну, эта мамина подруга, вы видели ее за ужином, она обожает отыскать у человека слабое место и потом тыкать в него!

— Мне знаком такой тип людей, — кивнула головой Наталья Кирилловна.

— А я не работаю, ничего из себя не представляю, просто домохозяйка. Тетка Вера обязательно бы начала упрекать меня в этом. Вот муж и не придумал ничего лучше, как назначить меня на ваше место.

Алена произнесла эту фразу и поняла, что говорит совершенно не то. Хрупкое доверие, которое возникло между ней и Натальей Кирилловной, снова разрушилось.

— Не важно, почему Василий Петрович принял такое решение, — холодно произнесла Наталья Кирилловна. — Он волен распоряжаться, как ему угодно. Завтра же я сдам вам все дела и...

— Умоляю, не надо! — воскликнула Алена. — Я ничего не понимаю в этой работе. Я все завалю!

— Отчего же? Вы совсем не глупая женщина. И образование у вас, как я слышала, тоже имеется.

— Что там за образование? Просто бумажка! Оно ничего не значит без опыта! А у вас опыт есть. Нет, работайте, пожалуйста, как прежде.

— Что-то я вас не пойму. Ваш муж говорит, что отстраняет меня от должности. Вы говорите, что мне нужно работать, как прежде. Кого же мне слушаться?

— Меня! — выпалила Алена. — Потому что муж послушал меня, только понял все неправильно. И вы тоже поняли неправильно. А я неправильно вам объясняю.

Неизвестно, до чего бы они договорились и сумела бы Алена вразумительно растолковать собеседнице, какой нелепый казус произошел, но в этот момент у Натальи Кирилловны зазвонил телефон. Она потянулась за ним и взглянула на экран совершенно равнодушно, явно не ожидая ничего приятного или увлекательного от этого звонка. Видимо, номер был ей незнаком, потому что на лице появилась легкая степень изумления. Какое-то мгновение она колебалась, ответить или нет, но потом все же поднесла трубку к уху.

— Алло. Я слушаю.

Собеседник произнес что-то, что Алена не сумела разобрать. И Наталья Кирилловна тут же изменилась в лице и поспешно отвернулась от Алены.

— Это вы? — произнесла она, причем в ее голосе слышалось неподдельное волнение. — Как вы узнали мой номер?

Видимо, собеседник ответил на этот вопрос, потому что у Натальи Кирилловны снова изменился голос.

— Это просто невероятно! — воскликнула она, но при этом Алене показалось, что Наталье Кирилловне приятно.

На ее лице даже появилась улыбка, которую Алена за все время знакомства с Натальей Кирилловной видела лишь один или два раза. Да и то тогда улыбка была нейтральная, сдержанная и скорее из вежливости, чем от души. А вот сейчас рот Натальи Кирилловны растянулся чуть ли не до ушей.

Но тут Наталья Кирилловна снова развернулась, увидела Алену и вспомнила о том, что она в комнате не одна.

— Я не могу сейчас разговаривать, — произнесла она. — Я сама вам перезвоню, когда освобожусь.

Она убрала телефон и вопросительно взглянула на Алену.

— Если у вас все, то я подытожу. Вы хотите, чтобы все вокруг, и в том числе — ваш собственный муж, считали бы вас руководительницей, а меня подчиненной. Но при этом вы также хотите, чтобы всю работу по-прежнему выполняла я сама? Так?

— Ну, я могла бы вам помогать.

— Помогать? О, какая честь!

— Будет даже лучше, если вы мне поручите какое-нибудь задание. Тетка Вера такая противная, она не поленится и проверит, правда ли я тут руковожу.

— Значит, я должна поручить вам что-то несложное, но так, чтобы всем вокруг казалось, что это вы сами это задание себе выбрали?

— Да, если можно, подыграйте мне. Это совсем ненадолго! Лишь до тех пор, пока тетя Вера не укатит восвояси.

— И что тогда?

— Тогда мы снова поменяемся с вами ролями.

— То есть вы станете хозяйкой, а я вашей подчиненной? И что же от этого изменится?

Алена замерла, не зная, что ей ответить. А Наталья Кирилловна тоже не захотела продолжать.

— Наш разговор получается какой-то беспредметный, — произнесла она. — Я могу продолжить работать?

— Да, пожалуйста.

— Не беспокойтесь, Алена. Я все сделаю, как вы меня просите.

Алена вышла из кабинета Натальи Кирилловны в каких-то смешанных чувствах. С одной стороны, ей вроде бы удалось растолковать женщине, что ни о какой ее отставке нет и речи. А с другой — ведь эта отставка является само собой разумеющейся вещью, раз уж Алена теперь числится начальником пиар-отдела?

— Нелепица какая-то. И Наталья Кирилловна, кажется, все равно обиделась.

У Алены даже мелькнула мысль пойти к тетке Вере и во всем ей признаться, но тут же она выбросила эту мысль из головы, потому что хорошо представляла, что последует за этим признанием. Противная тетка Вера просто изведет ее своими постоянными намеками на профессиональную непригодность Алены и, ясное дело, примется той ставить на вид, что Арина-то успешно двигается по ступеням карьерной лестницы. Даже не просто двигается, а буквально несется по ней, словно паровоз к вокзальному перрону.

При воспоминании о том, что завтра к ним пожалует еще и Арина, настроение у Алены окончательно испортилось. Подруга ее мамы и ее собственная «подруга» были людьми малопривлекательными.

— И зачем только моей мамочке понадобилось дружить с этой теткой Верой? — пробормотала Алена. — Знаю, она все время жалела ее. И вот что бывает с теми, кто слишком добр к окружающим!

Эти окружающие садятся на голову не только тем, кто к ним добр, но еще и ко всем их родственникам. Всю жизнь тетка Вера умело манипулировала мамой Алены. И даже в торговый колледж, который с горем пополам закончила Арина, ее пристроила через своих знакомых мама Алены. Никто не хотел брать унылую троечницу, понадобилось все мамино влияние, чтобы Арину приняли в колледж с непроходным баллом.

— Не удивлюсь, если и на работу в тот гипермаркет Арина тоже отправилась по маминой протекции. А теперь, когда дела у нее пошли хорошо, конечно, выясняется, что девочка всего достигла сама!

Внизу слышался визгливый голос тетки Веры, которая заловила Василия Петровича и теперь шумно объяснялась ему в любви. До слуха Алены донесся смущенный голос мужа:

— Да, живите вы у нас сколько хотите, и не благодарите. Дом огромный. И вам, и вашей дочери найдется тут место.

Тетка Вера принялась снова благодарить Василия Петровича, который не знал, как избавиться от навязчивой бабы. А Алена лишь вздохнула. Что-то будет завтра, когда в поместье появится еще и Арина. Последний раз, когда Алена виделась с Ариной, та еще училась. А теперь, глядите-ка, директор гипермаркета!

И снова в голове у Алены промелькнула досадливая мысль. Если даже Арина сумела достигнуть столь многого, имея такой скромный багаж, то каких бы высот могла достигнуть сама Алена, не выйди она замуж за Василия Петровича и не засядь в «Дубочках»?

Одним словом, сегодняшний день выдался не очень-то приятным. Единственным светлым пятном был тот факт, что у их печальной вдовушки Натальи Кирилловны, кажется, появился ухажер. И если Алена все поняла правильно, ухажер этот пришелся самой Наталье Кирилловне по душе. Это был явно положительный момент, потому что, во-первых, Алена чисто по-человечески была рада за женщину, которой наконец-то снова улыбнется простое женское счастье: довольно ей уже вдоветь и поститься. А во-вторых, появление в жизни Натальи Кирилловны настоящего живого мужчины спускало ее с пьедестала бесстрастной богини, низводило ее опять до состояния обычной женщины, способной чувствовать, любить и страдать.

Хорошо это или плохо, Алена пока что сказать не бралась. С одной стороны, она была рада тому, что Наталья Кирилловна вновь пробудилась к жизни. Но с другой стороны, теперь Алена знала, что Наталья Кирилловна может и обаятельно улыбаться, и на щеках у нее, оказывается, при этом играют ямочки. И голос ее может звучать игриво и привлекательно, а не холодно и отстраненно, как было до сих пор.

— И все это великолепие ходит буквально в двух шагах от моего Василия Петровича, — с тревогой пробормотала Алена.

Да, Алена была ревнива, она знала за собой этот недостаток, боролась с ним, но поделать ничего не могла. И даже тот факт, что за все годы супружества Василий Петрович ни разу не дал ей даже малюсенького повода для ревности, а Наталья Кирилловна явно была увлечена кем-то другим, ничего не менял: Алена все равно заранее уже начала терзаться и переживать.

— Что за день сегодня такой? Сначала тетка Вера прикатила, потом выяснилось, что Арина тоже падает мне на голову, да еще Наталья Кирилловна вдруг решила удариться во все тяжкие. И что мне со всем этим делать?

Так как поделать Алена ровным счетом ничего не могла, то она вновь взялась за чтение, что отвлекло ее от домашних неурядиц, которые, хотя Алена этого и не подозревала, только начинались.

Глава 3

Следующее утро не стало для Алены более радужным и светлым. Да и с чего бы, если проснулась Алена от громкого голоса все той же тетки Веры.

— Аленушка, подъем! Ты не забыла, нам нужно ехать на станцию? Ариночка уже подъезжает!

Алена продрала глаза и с нескрываемой неприязнью взглянула на тетку Веру, стоящую в дверях ее спальни. Василия Петровича, который мог бы турнуть надоедливую гостью, рядом не было. Он проснулся раньше и уже спустился вниз, предоставив жене решать собственные проблемы самостоятельно. А проблемы назревали. Ведь, если с Натальей Кирилловной вчера все решилось относительно легко и быстро, во всяком случае, для самой Алены разговор прошел сравнительно безболезненно, то с теткой Верой все было иначе.

Когда Алена вчера спустилась вниз, надеясь, что она уже ушла к себе в спальню, оказалось, что та на боевом посту.

— А я тебя ждала! Долго же ты работаешь!

Часы и впрямь показывали половину первого ночи.

— Тетя Вера, что же вы не спите? — невольно вырвался у Алены возглас.

— Тебя ждала, птичка моя.

— Меня? А зачем?

— Ну а как же? За ужином-то мы с тобой не договорили. Надо ведь Арину встретить. Это я и хотела с тобой обсудить.

— Надо встретить, согласна. Но Василий Петрович даст вам машину с шофером и...

— Машину с шофером! Василий Петрович! — передразнила ее тетка Вера. — А что же ты сама? Неужели не захочешь лично встретить подругу?

Алена с трудом удержалась от того, чтобы не заявить тетке Вере прямо в лоб, что Арину она своей подругой никогда не считала. Впрочем, как и та ее.

Вместо этого Алена сказала:

— Я ее и встречу... только дома.

— Дома! Дома — это не то! Арина ждет, что ты приедешь за ней на станцию.

— Но я занята. У меня есть более важные дела.

Алена ожидала, что тетка Вера обидится и отстанет от нее, но не тут-то было.

— А я уже говорила с твоим мужем! — воскликнула тетя Вера. — Василий сказал, что ты можешь ехать. Он тебя отпускает!

Предатель! Снюхался с теткой Верой. Впрочем, сердиться уж очень сильно на мужа Алена не могла. Она знала, что тетка способна достать и мертвого своими настойчивыми просьбами. Так что неудивительно, что не имеющий иммунитета против этой заразы Василий Петрович быстро сдался сам и сдал жену.

Крыть Алене было нечем, и пришлось ей признать свое поражение в этом раунде:

— Что же, раз я свободна, буду рада поехать с вами за Ариной на станцию.

И Алена отправилась к себе в комнату. Тетка Вера пыталась ей еще что-то сказать, но Алена, сославшись на усталость, увильнула от разговора. Она и так сдала слишком много позиций, для одного раза было вполне достаточно. Видимо, тетка Вера тоже это понимала, потому что преследовать Алену не стала. Тогда не стала, а сейчас вот стояла на пороге и напоминала о полученном от Алены вчера обещании.

— Встаю и едем!

— Машина уже ждет. Поторопись.

Вместо ответа Алена начала вставать с кровати, и тетка Вера наконец отвалила. Едва только она скрылась с глаз, Алена вновь рухнула обратно на кровать.

— Подождут и машина, и Арина, — проворчала она.

Вчера вечером, оказавшись на безопасном расстоянии от тетки Веры, первым делом Алена позвонила Ване — своему верному другу, бессменному телохранителю Василия Петровича, ныне занимающему ответственный пост начальника службы безопасности «Дубочков». Конечно, Алена обращалась не по адресу, но она видела вчера из окна, как щебетала тетка Вера с тем шофером, который вез ее от станции. Она явно уже успела подружиться с этим типом, тетка Вера вообще легко и быстро сходилась с людьми, умея втираться к ним в доверие и пользуясь этим доверием до тех пор, пока человек не понимал, что она за фрукт, и не разрывал с ней отношения. Но для этого все-таки требовалось время. А у шофера времени, чтобы понять, что от тетки Веры надо держаться подальше, не было. Они мило ворковали сейчас, могли проворковать и всю дорогу. А Алене совсем не хотелось слушать эту болтовню всю дорогу туда и обратно.

Итак, Алене был нужен доверенный человек. И когда Ваня взял трубку, она быстро выпалила:

— Ваня, отвези меня завтра на станцию.

Ваня помедлил всего лишь секунду. Он знал, что без особой необходимости хозяйка не попросила бы его об этой услуге, и потому сказал:

— Хорошо.

— И всю дорогу ты будешь молчать, договорились? Ни словечка не произнесешь, как бы моя гостья ни пыталась с тобой поболтать.

— Это та тетка, что приехала к вам сегодня?

— Она самая. Я ее терпеть не могу и не хочу, чтобы ты с ней разговаривал. Кто-то другой может расколоться, но ты выдержишь. Я в тебя верю.

— Как скажете.

На этом разговор и закончился. Алена пошла спать, полностью уверенная, что Ваня выполнит ее просьбу и тетку Веру поджидает жестокий облом. Ей не удастся всласть потрещать, потому что Алена не собиралась болтать с противной гостьей. И Ваня тоже будет нем словно рыба. Пусть тетка Вера беседует сама с собой. Надолго ее не хватит. Как всякому порядочному вампиру, тетке Вере необходима была подпитка для ее энергетики. Если заткнуть уши, то заряда тетки Веры надолго не хватит, она сдуется и замолчит.

План Алены возымел успех лишь наполовину. До станции они и впрямь доехали в молчании, так как Алена с самого начала попросила тишины по причине заболевшей головы, и потому все попытки тетки Веры разговорить саму Алену или на худой конец Ваню оканчивались провалом. Алена в душе торжествовала, но оказывается, рано, потому что с появлением Арины все изменилось.

Алена как-то не учла, что за пролетевшие годы Арина могла здорово измениться и похорошеть. И теперь с удивлением смотрела на длинноногую красивую девицу, в которую превратилась нескладная и неуклюжая Аришка. Прежние ее волосы непонятного колера теперь превратились в локоны цвета слоновой кости, а некоторая неуверенность походки даже придавала Арине странное очарование.

В отличие от матери Арина была высокой. Ростом и телосложением она пошла в отца, которого Алена если и видела, то совершенно не помнила. Равным образом и сама Арина про своего папу никогда вслух не упоминала. Для нее существовала только мама, которая ее вырастила и с которой Арину связывали тесные, но подчас непростые отношения. Алена знала, что у Арины было несколько неудачных романов, в развале которых она винила свою мать.

Вот и сейчас огромные карие глаза Арины на загорелом личике смотрели серьезно и настороженно. Но все в один миг изменилось, стоило Арине улыбнуться. Тут же в ее глазах заплясали чертики, а личико приобрело удивительную схожесть с самой теткой Верой в молодости. Впрочем, у тетки Веры никогда не было такой плутоватой улыбки, видимо, это был подарок от Аришкиного папы.

Последовали обязательные объятия и поцелуи, а затем Алена неожиданно поняла, что ее совершенно оттеснили от Арины. И сделал это не кто иной, как ее верный Ваня. Он заливался соловьем и прыгал перед Ариной козлом.

— Как доехали? Как погода в Питере? Позвольте ваши вещи, не к лицу такой красивой девушке самой таскать свой багаж.

Арина с удовольствием избавилась от небольшой сумки. Она принимала знаки внимания Вани с явным удовольствием, чего нельзя было сказать о тетке Вере. Она мрачнела на глазах и сверлила Ваню таким неприязненным взглядом, словно уже была его полноправной тещей.

Но Ваня ни на кого не обращал внимания. Он видел одну лишь Арину. Прибывшая незнакомка совершенно очаровала его. Ваня решил не тратить времени даром и сразу же идти на штурм этой крепости.

— Наверное, вам тут с непривычки покажется очень тихо и даже скучно, но, уверяю вас, места у нас замечательные. Я с удовольствием покажу вам их, как вам такое предложение?

Алена лишь вздохнула, услышав эти слова. Она не учла страсти Вани ко всякого рода блондинкам. И сейчас фальшивая «слоновая кость» на голове у Арины совершенно сразила этого простака. Но, к ее удивлению, тетка Вера тоже была недовольна тем вниманием, которое оказывал Ваня ее дочери. Тетка несколько раз вставляла замечания, становящиеся все прозрачнее и прозрачнее, и наконец не выдержала и воскликнула:

— Дорогой, следите, пожалуйста, за дорогой! Моя дочь от вас никуда не денется, у вас еще будет время с ней поболтать. А пока займитесь своим делом и дайте же двум старым подругам поговорить после долгой разлуки!

Ваня послушно замолчал и молчал ровно полторы минуты. За этот срок ни Арина, ни Алена не успели придумать, что бы им друг другу сказать. И Ваня вновь взял бразды правления в свои руки и принялся нахваливать Арине и «Дубочки», и их хозяев, и себя самого, занимающего тут отнюдь не последнее место, а, можно даже сказать, почетное третье, если считать после Василия Петровича и Алены.

Услышав, что их везет сам начальник охраны, а не простой шофер, как она подумала сначала, тетка Вера примолкла. И взгляды, которые она теперь кидала на Ваню, были скорее оценивающими, нежели враждебными.

Так они и доехали, побыть в тишине Алене не удалось, но все же это было лучше, чем самой участвовать в разговоре. Высадив гостий и сдав их с рук на руки подоспевшим горничным, Алена все же не удержалась и попеняла Ване:

— Ты же обещал мне, что будешь молчать всю дорогу и слова не скажешь!

— Я думал, что это только старухи касается.

Алена прикусила язык. Надо было более точно формулировать свои запросы.

— Так чего... Можно мне за молоденькой-то приударить?

— Ударяй, если хочешь. Только у нее жених, кажется, имеется.

— Жених не стенка, можно и подвинуть, — самонадеянно заявил Ваня, который, по правде сказать, на вольном выпасе в «Дубочках» и за неимением достойных конкурентов совсем поистаскался.

Только официальных любовниц у этого ловеласа было четыре штуки, да еще некоторое количество пассий среди отдыхающих, которые приезжали в кумысолечебницу, грязелечебницу и водолечебницу, а также среди тех сотрудниц, которых привезла с собой Наталья Кирилловна. А среди ее девочек встречались и очень хорошенькие.

Но, зная о таких успехах телохранителя своего мужа, Алена никак не могла взять в толк, что все эти девочки, девушки и женщины нашли в их Ване? Он был уже далеко не молод, не сказать, чтобы особенно хорошо образован или галантен. Он не был женат, это да. Но разве это такой уж плюс?

Но в это время вновь появилась тетя Вера, которая настойчиво потребовала, чтобы Алена пошла к Арине, той нужно сказать ей что-то важное.

Стоило Алене войти в комнату к Арине, как та немедленно бросилась к ней на шею.

— Подруженька! Сколько же мы с тобой не виделись?

— Лет десять... или пятнадцать.

— Шестнадцать с половиной! — заявила тетка Вера, подобравшаяся с другой стороны. — Просто непозволительно долго для таких хороших подруг, какими вы были.

Алена промолчала. И даже у Арины не хватило нахальства, чтобы подтвердить слова матери. Она смущенно взглянула на Алену, пытаясь понять, помнит ли еще та о том, как Арина ябедничала на нее взрослым, а потом единолично наслаждалась двойной порцией мороженого прямо перед носом у Алены, этого самого мороженого лишенной? Алена все помнила, но вежливо молчала. Она уже давно смекнула, что тетка Вера заявилась в «Дубочки» не просто так. А когда стало ясно, что и Арина приедет, эта мысль в голове у Алены окончательно окрепла и утвердилась. Она лишь хотела понять, что именно нужно этим женщинам от нее.

— Ариночка такая успешная, у нее каждая минута на счету, но она выбрала время, чтобы навестить тебя.

— Как узнала, что мама едет к тебе, прямо нахлынуло что-то. Говорю ей: я тоже приеду!

И Арина задушевно взяла Алену за руку. От этого жеста «подруги» Алену передернуло. Рука у Арины была слишком твердая, а ногти острые, того и гляди вонзятся в кожу. Прямо тяпка какая-то, а не рука!

— У меня все так прекрасно! — возбужденно затараторила Арина, не замечая реакции Алены. — Так восхитительно, ты себе даже не представляешь! Работа — просто мечта, жених — сказка. С курортов просто не вылезаю, то Сейшелы, то Бали, то Мадагаскар. И все же нашла минутку, выбралась к тебе.

— Я тоже очень рада тебя видеть, — сдержанно произнесла Алена, у которой уже основательно разболелась голова от этой трескотни. — Но сейчас тебе надо отдохнуть с дороги.

Но ничуть не бывало. Арина демонстрировала желание побыть со своей дорогой «подружкой» как можно дольше и быть с ней как можно ближе. Она так и ходила хвостом за Аленой до самого вечера, так что та поневоле вспомнила детство, когда Арина вот точно так же ходила за ней повсюду, а потом ябедничала, строила пакости и даже пыталась делать подлости. Учитывая, что Алена нынче возглавляла штаб предвыборной кампании своего мужа, такое настойчивое внимание Арины не могло ее не тревожить. Алена очень боялась, что Арина смекнет, что никакая она не глава отдела, а всю работу делает за нее Наталья Кирилловна. И поэтому, когда к ужину к ним заявился Ваня, твердо настроенный увезти Арину с собой для демонстрации ей красот окрестностей, Алена вздохнула с облегчением.

Но стоило Арине укатить, как к Алене снова подвалила тетя Вера. Она вилась и крутилась вокруг Алены так и этак, пока наконец у Алены не лопнуло терпение и она не спросила у тетки прямо:

— Тетя Вера, скажите мне, зачем вы приехали в «Дубочки?

— Как это зачем? Подлечиться.

— И это все?

— И еще пообщаться с тобой. Ты ведь мне словно родная дочь.

Алена вздохнула. Видимо, время откровенности между ними еще не пришло. Тетка Вера не желала колоться, зачем приехала. А у Алены не было нужных рычагов давления на нее. Поэтому они условились, что завтра тетка Вера поедет в водолечебницу, где ее уже ждут с нетерпением, и денег за принятые процедуры, даже самые дорогие и эксклюзивные, не возьмут.

Тетка Вера была удовлетворена полученным откупом и согласилась оставить Алену в покое. Так что на этом сегодняшнее общение с ней для Алены можно было считать законченным. Молодая женщина вернулась к себе с таким чувством, словно бы целый день разгружала вагон, груженный камнями, причем делала это в одиночку.

Оказавшись у себя в спальне, Алена присела возле окна и задумалась.

— Если так дело пойдет и дальше, то тетя Вера от нас долго еще не уедет. Сейчас она примет курс водных и грязевых процедур — это недели две, никак не меньше. Потом захочет изведать иппотерапию и ароматерапию. А уж то, что она захочет остаться на праздник, это вообще к гадалке не ходи.

Тут до слуха Алены донесся чей-то радостный звонкий голос.

— Да, да, я вас прекрасно слышу. Я же говорила, в «Дубочках» стоит транслятор, проблем со связью тут никогда не бывает. Кто поставил? Конечно, наш Василий Петрович, кто же еще?

Заинтересовавшись, кто это обсуждает ее мужа, да еще так громко, Алена выглянула в окно. К ее удивлению, там стояла Наталья Кирилловна и, весело смеясь, говорила что-то о том, как нравится ей в «Дубочках», как прекрасно тут относятся к людям и как она бы с удовольствием осталась бы тут до конца своих дней. Слышать это было, с одной стороны, приятно, а с другой — все-таки немного настораживало. На каком основании Наталья Кирилловна хочет задержаться в поместье до конца своих дней? Скоро предвыборная кампания, в которой она трудится, будет позади, и необходимость в усиленной работе пиар-отдела и услугах самой Натальи Кирилловны может отпасть.

Но не успела Алена обдумать это, как ее взгляд цепко принялся подмечать и другие странности, которые произошли с обликом начальницы. Вместо обычного строгого покроя сарафана без рукавов, которых у Натальи Кирилловны было несколько штук — серого, коричневого, черного и светло-бежевого цветов и которые она сочетала с различными блузками все тех же нейтральных тонов, иногда позволяя себе надеть к ним какое-нибудь украшение, но не более одного и тоже самых скромных цветов, сейчас на женщине было яркое платье из переливающегося на вечернем солнце шелка.

Волосы, тоже обычно стянутые в аккуратную прическу, сейчас оказались распущенными по плечам. И Алена с удивлением обнаружила, что у Натальи Кирилловны, оказывается, чудесные светло-золотистые локоны, явно своего собственного, а не фальшивого, как у Арины, оттенка.

— Ха-ха-ха! — донесся до слуха Алены смех. — А вы шутник!

Наталья Кирилловна весело и задорно крутанулась на одном месте, пышные юбки взлетели вверх, и взгляду обомлевшей Алены представилось тончайшее нижнее белье, состоящее сплошь из одних кружев.

— Я уже бегу! — игриво произнесла Наталья Кирилловна и в самом деле побежала.

Двигалась она легко и грациозно, никто не дал бы этой женщине и тридцати лет, хотя ей было значительно больше. Она была в этот момент так молода, так хороша и так искренне радовалась жизни, что у Алены даже защемило сердце. Схватив телефон, она позвонила мужу, который где-то задерживался.

Уж не на свидание ли с ее Василием Петровичем намылилась Наталья Кирилловна? Хотя, с другой стороны, зачем бы ей тогда нахваливать Василия Петровича перед ним самим? Или это просто такой ход?

Решив, что проверить лишний раз все равно не помешает, Алена дождалась ответа мужа и воскликнула:

— Алло! Ты скоро?

— Уже подъезжаю, — ответил Василий Петрович. — Минут через десять буду.

Верность Василия Петровича была в очередной раз подтверждена. Алена успокоилась. Но ей все равно было до крайности любопытно, куда же это отправилась Наталья Кирилловна. И если, как указывали все приметы, на свидание, то с кем? Алене почему-то казалось, что Наталья Кирилловна торопится на свидание с человеком, который вчера набрался дерзости и позвонил ей. А Алена дорого бы дала за то, чтобы узнать его имя.

Но странности на этом не закончились. Стоило Наталье Кирилловне исчезнуть, как послышались новые голоса. Один голос принадлежал тетке Вере, а кому принадлежал второй, Алена сказать затруднялась. Это был женский голос, и Алена слышала его впервые. Женщины приближались, но у Алены не было никакого желания как бы там ни было общаться с теткой Верой лишний раз. Так что она быстро встала и спряталась за занавеску, чтобы с улицы ее не могли заметить. Алена с радостью и вовсе бы ушла прочь, да только очень уж ей хотелось услышать, о чем сплетничают эти две дамы. Так что любопытство пересилило, и Алена осталась.

— Мне тут очень нравится, — услышала Алена незнакомый ей женский голос. — Когда приезжаю, всегда тебя в душе благодарю, что посоветовала это место. За те деньги, что я им плачу, тут просто шикарно!

— Ты еще не все тут видела, — хвастливо произнесла тетка Вера. — А вот я живу в самой усадьбе, я тебе покажу, что значит настоящий шик!

— А мне можно войти?

— Ты же мне не чужая!

— Все хочу тебя спросить, ты Катю уже навещала?

— Нет еще, но я и не рвусь к ней.

— Почему?

— Неблагодарная она. Сколько я для нее и ее девчонки сделала, а она хоть бы спасибо мне когда сказала.

— Ты не должна ее упрекать. Ей в жизни нелегко пришлось.

— А кому легко? Мне, что ли? Или тебе? У каждого своя боль, но надо же и про добро помнить. Нет, я не хочу к ней первая идти.

— Вообще-то, ты права, — произнесла незнакомка. — Я тоже замечала, что Катя сильно изменилась. Когда она в нас нуждалась, то совсем иначе себя вела. А теперь зазналась... Вот ты совсем другая.

— Да, я умею дружить и умею делать людям добро.

Голоса отдалились. По звуку Алена поняла, что тетка Вера потащила свою новую знакомую к ним в дом. И возмущение вновь накрыло ее.

— Мало того, что сама живет, дочь свою поселила, так еще и каких-то случайных знакомых к нам таскает! Добро она делает вопрос, за чей счет?

Впрочем, знакомая тетки Веры могла быть и не такой уж случайной. Они дружно обсуждали какую-то Катю, которая сильно зазналась по сравнению с прежними временами. И значит, тетка Вера могла быть знакома с этой женщиной уже давно.

— И все равно, — упрямо прошептала Алена, — раз я сама эту бабу не знаю, так и нечего ее ко мне в дом тащить!

Но поделать она ровным счетом ничего не могла. Любое замечание, сделанное тетке Вере или Арине, тут же бумерангом вернулось бы к самой Алене. Она знала, чью сторону примет ее мама. И конечно, тетке Вере нетрудно будет убедить маму, что Алена вела себя грубо, несдержанно, ужасно хамила и, вообще, была невыносима. Тетке Вере всегда это удавалось, и Алена не хотела убеждаться в очередной раз, что ничего не изменилось и она для своей мамы по-прежнему не авторитет.

Следующие дни текли размеренно и монотонно. Алена с утра уходила в штаб к Наталье Кирилловне, где, немного покомандовав, а точнее, передав сотрудникам указания, которые ей, в свою очередь, загодя диктовала Наталья Кирилловна, Алена уединялась в библиотеке и «работала» там. Если тетке Вере или Арине приходила охота навестить ее, то Алена тут же указывала им на толстенные подшивки газет, приготовленных для нее все той же Натальей Кирилловной. Один их вид внушал этим женщинам такое почтение, что они даже не рисковали спросить: а что же за сведения такие хранятся в этих толстых томах?

Ни тетка Вера, ни Арина в своей жизни по доброй воле не прочитали ни одной книжки, если только она не входила в обязательную школьную программу. И теперь Алена могла с легкостью врать им все, что ей заблагорассудится. Но ни разу ей не пришлось прибегнуть к этому методу, потому что тетка Вера и Арина, потрясенные важностью дела, порученного Алене, тут же испарялись, предоставив Алену ее безделью.

— Все хорошо, только очень скучно, — пожаловалась Алена самой себе и от скуки принялась брать с полок книги и читать все, что попадалось под руку.

В свое время Василий Петрович собрал неплохую библиотеку из отечественной и зарубежной классики, а также богато иллюстрированных изданий по мировой истории, истории России и естественным наукам. Алена читала с удовольствием, тем более что больше заняться ей в ее добровольном уединении было нечем. Она не могла даже покинуть свое рабочее место, потому что тетка Вера сдружилась со всей прислугой и вечером ей бы обязательно стало известно, что хозяйка филонит, не работает, а вместо этого шляется днем по дому и не знает, куда себя пристроить.

Как уже говорилось, в умении быстро знакомиться и переходить на «ты» с людьми тетке Вере не было равных. Но в этой ее простоте крылся изрядный подвох. Тетка Вера стремилась стать своей не потому, что ей этого хотелось, а потому, что она находила это выгодным для себя. Ведь куда легче просить об услуге хорошего знакомца, чем малознакомого человека, с которым и двух слов не сказала.

Алена терпеливо ждала, когда наконец люди прозреют и поймут, что представляет из себя на самом

деле тетка Вера. Но время шло, тетка Вера все больше и больше расширяла круг своих знакомых, а ра-
зоблачение все не наступало. Постепенно Алене стало казаться, что так было всегда, и это приводило ее
в отчаяние.

Чтобы утешиться, она шептала самой себе:

— Все когда-нибудь заканчивается. Закончится
и это.

С приездом тетки Веры в «Дубочки» Алена стала
чувствовать себя так, словно бы у нее появился на-
рыв. Он зрел, зрел, гноился все больше и больше.
Вот-вот его должно было прорвать, а пока этого не
случится, облегчения не наступит.

И когда проходил очередной день, а ничего не менялось, Алена пыталась успокоить себя:

— Ничего, подожду еще денек. Может быть, завтра тетка Вера отчебучит что-нибудь такое, что все
поймут, какая она на самом деле.

Алена ждала и одновременно боялась этого события. Ведь разоблачения тетки Веры еще ни разу
не проходили без крупного эксцесса. Когда ее обли-
чали в жадности или лицемерии, она принималась
так громко защищаться, что люди и сами бывали не
рады, что подняли эту тему. Поэтому Алена, с одной
стороны, трусливо ждала взрыва, а с другой — еще
более трусливо этого взрыва боялась.

Глава 4

Время праздника в «Дубочках» неуклонно при-
ближалось. До него оставалось всего десять дней, казалось, что ничто не может помешать его успешному

проведению. Все приготовления шли четко согласно составленному Натальей Кирилловной графику. Появившийся у нее возлюбленный так и оставался загадкой для всех окружающих. Не одна только Алена заметила изменения в облике и характере Натальи Кирилловны. Все чаще со всех сторон раздавались предположения: а не влюбилась ли, часом, их Ледяная Дама, как окрестили в «Дубочках» Наталью Кирилловну.

Она стала чаще улыбаться, иногда даже смеялась. Стиль ее поведения и одежды тоже изменился. Она стала допускать в разговоре шутки и, мотивируя происходящее тем, что стоит невыносимая жара, окончательно избавилась от своих сарафанов и стала носить одежду более легкомысленных оттенков. Одним словом, изменения были настолько явными, что скрыть их было невозможно.

Однако, когда Алена попробовала расспросить Наталью Кирилловну, кто же он, ее таинственный бойфренд, женщина лишь сделала большие глаза и отшутилась. Ничуть не больших успехов достигли и другие, кто пытался поговорить с Натальей Кирилловной на эту тему. А проследить за женщиной, чтобы точно выяснить, с кем она встречается, у обитателей «Дубочков» не хватило нахальства. Они все любили или, во всяком случае, уважали Наталью Кирилловну, поэтому предоставили ей самой открыть им эту тайну, когда придет время.

Роман Вани и Арины тоже стремительно набирал обороты. Каждый вечер Ваня катал Арину по округе, иногда они возвращались домой далеко за полночь, а потом еще очень долго и нежно прощались у дверей. Это заставляло Алену задуматься о таинственном женихе Арины, том самом владельце сети гипермаркетов, оставленном ею в Питере. Почему Арина не возвращается назад? Как же ее работа?

Алена не удержалась и, когда тетка Вера снова вздумала к ней присосаться с рассказами о просто-таки невероятных успехах своей дочери, спросила у нее прямо в лоб:

— Что же тогда ваша Арина перед Ваней хвостом крутит, если у самой жених имеется?

Тетка Вера явно не ожидала такого поворота. И он ей не понравился.

— У Ариши с Ваней исключительно дружеские отношения!

— Ну да, конечно! — фыркнула Алена. — Видела я вчера, как он по-дружески лобызал ее везде, куда мог дотянуться.

Тетя Вера немедленно взвилась на дыбы:

— Как ты можешь такое говорить! Не видела — и молчи!

— Так в том-то и дело, что я видела! — стояла на своем Алена. — И если правда, что у Арины есть жених, она не должна кружить голову Ване. Вам-то, я понимаю, все равно, что будет с Ваней, когда Арина умотает обратно в город к своему жениху, а мне нет.

— Вот это-то и странно! — прищурилась тетя Вера.

— Что странно?

— Не думай, будто бы я ничего не знаю. Я ведь давно уже наблюдаю за вами.

— За кем?

— За тобой и этим вашим Ваней. Ведь он же всюду сопровождал тебя, когда ты разъезжала по своим Миланам и Европам?

— Да, конечно. Это была его работа.

— Только ли работа? Или ему было приятно делать эту работу?

— Не понимаю, к чему вы клоните?

— А я прямо скажу: у тебя с этим Ваней что-то было. Вот ты теперь и бесишься от ревности, что он предпочел тебе Арину!

Это все было настолько нелепо и даже глупо, что Алена в первый момент даже не нашлась что возразить. Просто не знала, с чего начать.

А потом засмеялась:

— Тетя Вера, вы просто спятили! Обвинять меня и Ваню в том, что между нами что-то было... Да надо знать Ваню! Он бы никогда не посмел.

— Ага! — уличающим тоном воскликнула тетка Вера. — Значит, ты бы посмела! Так я и знала, что ты своему кривоногому лысому старикашке давно рога наставила. Ему-то, простофиле, деревенщине, невдомек, зачем ты по своим заграницам раскатывала! Не наряды ты там себе покупала, а любовников!

Забывшись, тетя Вера начала плеваться ядом, что получалось у нее так хорошо, что Алена даже подумала, что зря она начала этот разговор. Как говорится, не буди лиха, пока оно тихо. Алена же разбудила, а теперь расплачивалась за свою неосторожность. Она приготовилась выслушать про себя еще много разного, но, к ее удивлению, тетка Вера внезапно замолчала, заморгала ресницами, а потом вдруг заплакала.

— Господи, за что же я на тебя напустилась?! Прости ты меня, деточка! Ведь я же люблю тебя, словно родную.

— Вы это мне уже много раз говорили. И простите, не очень-то я вам верю.

— Прости! — исступленно кричала тетка Вера. — Прости меня! Это все бедность проклятая меня довела. Посмотрела я, как ты тут живешь, как сыр в масле катаешься, завидно стало. Почему у моей Аришки все не так? Почему у других все хорошо, а у нас все плохо?

— Погодите, вы же говорили...

— Врала я тебе! — воскликнула тетя Вера. — Все врала! Ни работы приличной Аришке не найти, ни мужа. Только и встречаются, что такие голодранцы, по сравнению с которыми ваш Ваня просто король!

— А зачем же вы мне лгали?

— Стыдно было признаться, — шмыгнув носом, призналась тетя Вера. — Ты у нас вся в шоколаде, а мы в полном д... Ну, ты меня поняла. Оно тоже коричневое, только пахнет похуже.

— Так чего передо мной-то стыдиться? Я же вас и Арину сто лет знаю. Взяли бы и сразу все по правде сказали, — уже успокаиваясь, произнесла Алена. — И пусть Арина встречается с Ваней, раз никого другого у нее нет.

— Приличного точно нет, — снова шмыгнула носом тетя Вера. — Одна голь перекатная. Только и смотрят, где бы чего урвать.

Да, этого тетя Вера точно не любила. Самой попользоваться — это пожалуйста, сколько угодно. А вот чтобы попользовались ею — это не для нее. Наверное, поэтому и супружеская жизнь у нее не сложилась, что никакому мужчине не понравится, когда его постоянно используют исключительно в корыстных целях.

— Жалко мне дочку, ничего у нее не получается. А все почему? Образования приличного у девочки нет. Ей бы поучиться.

— Поздновато вы спохватились.

— Ничего не поздно! Можно еще успеть! Аришка молодая и способная, она мигом всему научится.

— Так чего же не учится?

— А ты знаешь, сколько сейчас образование стоит? По сто пятьдесят тысяч за семестр платить нужно!

— Ну, есть и подешевле.

— А зачем оно надо? — презрительно фыркнула тетя Вера. — Подешевле — значит и похуже. С таким дипломом потом набегаешься, а толку чуть. Никто на хорошее место не возьмет. Нет, я хочу Аришку в такой вуз определить, чтобы у нее сразу же после его окончания все в жизни наладилось!

— И вы думаете, что Арина потянет учебу в вузе?

— Небось не глупей тебя! — злобно буркнула тетя Вера. — Ты вон как-то выучилась. И мужа себе богатого отхватила.

— Одно с другим никак не связано.

— Много ты понимаешь!

Но тут же оселась и снова залебезила перед Аленой.

— Ой, деточка, ой, красавица, да нам бы только найти спонсора, чтобы денег на образование дал, уж тогда бы Аришка так училась, что в отличницы бы выбилась.

— В школе-то она, помнится, на одних тройках ехала. Да и те ей ставили только из жалости и еще потому, что вы в родительском комитете всю жизнь были.

— Много ты знаешь! У Ариши условий не было, чтобы хорошо учиться. Ты же помнишь, как мы жили. Брат у меня — душа нараспашку, всех привечал, вечно у него дружки толклись. Сосед у нас тогда был алкоголик, к нему тоже компании таскались. Что ни день — у нас шум, гам и полно разного народу. И как в таких условиях девочке было учиться?

Алена не хотела спорить, хотя и прекрасно помнила, что дядя съехал к супруге, когда Арина еще и в школу не ходила, и больше к тетке Вере носа не совал. Сосед-алкоголик исчез где-то в первом классе. И что же мешало заниматься Арине все оставшиеся десять лет?

Между тем тетя Вера все говорила и говорила. Алена не прислушивалась к ее болтовне, она и так знала, что тетя Вера нахваливает свою дочь. Она очнулась в тот момент, когда услышала обращенный к ней вопрос:

— Так ты дашь денег?

— А? — очнулась Алена. — Что? Кому денег?

— Аришеньке — твоей подружке.

— Ей надо? А сколько? Конечно, я дам.

— Вот и прекрасно. Так я и думала, что ты ее не оставишь в трудную минуту. Я так рассуждаю: главное, чтобы Ариша получила хорошее образование. Может быть, даже за границей. Как ты на это смотришь?

— Я? А почему вы у меня спрашиваете?

— Но ты же даешь деньги.

— На что?

— На высшее образование для Арины!

И тетя Вера даже засмеялась, словно бы этот вопрос был давным-давно решенный и теперь она удивлялась рассеянности Алены. Как это она может не помнить такой мелочи?

— Погодите, — ошеломленно произнесла Алена, — вы что же, хотите, чтобы я платила за обучение Арины? По триста тысяч в год?

— Триста тысяч — это в прошлом году было. В этом, наверное, еще дороже.

Ничего себе! У Алены не было собственных сбережений. Когда она уезжала из «Дубочков», то как-то очень быстро тратила все, что давал ей муж. А когда она жила в усадьбе, то деньги ей вовсе не были нужны.

— Тетя Вера, а вы хотя бы понимаете, что триста тысяч — это большие деньги. И ведь это только за один год, а потом надо будет снова платить. И ладно бы Арина так уж рвалась учиться. Но сейчас ей уже за тридцать, никакой тяги к знаниям я в ней не замечаю. И я считаю, время для получения высшего образования она упустила.

— Так ты что же... не дашь денег?

— Нет, не дам.

Ох, не надо было Алене это говорить так сразу и в лоб! Надо было как-то уклониться от прямого ответа, сказать, что посоветуется с мужем, что подумает, поищет возможность. Но не отказывать тетке Вере прямо в лицо. Она этого не переносила. И теперь Алене пришлось в очередной раз в этом убедиться.

Тетка Вера поджала свои тонкие сухие губы и высокомерно вскинула брови.

— Правильно мне про тебя говорили, — зло процедила она сквозь зубы, — зажралась ты! Совесть совсем потеряла! Я у тебя об одолжении просила, Арина бы тебе все сторицей вернула, когда получила бы диплом.

— Не получила бы она его ни в жизнь! — тоже вошла в раж Алена. — Даже оплати я ей обучение, она бы все равно до диплома не доучилась. Как вы не понимаете, тетя Вера, в институте учиться надо, понимаете, учиться, за книжками сидеть, а Арина к учению не способна. Разве вы это на примере ее учебы в школе еще не поняли?

— Но в колледже она как-то училась!

— Вот именно, что как-то! А в престижном вузе, куда вы хотите запихнуть Арину, так не получится. Там надо именно что учиться, а «не как-то там».

Но тетка Вера уже сделала для себя выводы и оправданий слушать не желала.

— В общем, мне все ясно. Тебе для нас жалко денег, вот ты и выдумываешь всякие отговорки. Но я тебе не позволю порочить имя Аришеньки. Она у меня самая лучшая, самая любимая, а ты... ты... Ты просто жалкая гадина!

И с этими словами тетя Вера вылетела вон. Алена осталась у себя в кабинете до самого вечера. Она чувствовала, что каша заварилась нешуточная. Тетка Вера была неприятна и в миролюбивом настроении, а уж распаленная и разозленная, она была и вовсе опаснее дракона.

— Хоть бы она свалила от нас! Как же она мне надоела!

Когда вечером Алена все же спустилась вниз, то сразу же почувствовала, что атмосфера в доме перестала быть комфортной. Вся прислуга косилась на нее с явно выраженным неодобрением на лицах. И даже Василий Петрович был какой-то сам не свой. В конце ужина, на котором не присутствовали ни Арина, ни тетка Вера, он подозвал Алену к себе и твердо сказал:

— Делай что хочешь, но чтобы этой бабы и ее доченьки я у нас в доме больше не видел!

— Но ты сам пригласил их погостить у нас!

— А теперь хочу, чтобы они уехали! Обе! Немедленно!

— Немедленно не получится. Разве что отправить их домой на одной из наших машин.

— Тогда завтра. Первым же поездом.

Первый поезд уходил в шесть утра. А чтобы сесть на него, встать надо было около четырех.

— А что случилось? — удивилась Алена. — К чему такая спешка?

— Долго объяснять. И если честно, противно.

— Но что произошло? Я имею право знать.

— Я не хочу об этом говорить. Они твои друзья, вернее, друзья твоей мамы, я это учитываю, но... Но чтобы к утру от них обеих тут и духу не осталось!

Высказавшись так громко, что его могли слышать все в доме, Василий Петрович пулей пронесся к выходу, а через минуту за окнами заурчал двигатель его машины. Алена недоуменно покачала головой. В таком гневе ей доводилось видеть мужа всего несколько раз в жизни. Что же такого могла отмочить тетка Вера, чтобы вывести миролюбивого и обычно весьма снисходительного к слабостям и недостаткам окружающих Василия Петровича?

Идти за разъяснениями к самой тете Вере при всей своей отваге Алена не рискнула. Сегодняшняя их ссора и так уже имела серьезный резонанс. А Арины не было дома, она, по своему обыкновению, проводила вечернее время с Ваней.

— Может быть, дело в этом? Может быть, Васе не нравится, что Ваня встречается с чужой невестой? Он ведь не знает, что никакого жениха у Арины и нет.

Но когда Алена позвонила мужу, он холодно ответил, что это его волнует меньше всего.

— Если Ваньке кто-нибудь начистит рожу за его похождения, то я скажу, что так ему и надо. Но тут дело не в этом!

И больше не пожелал ничего объяснить. Сказал, что занят, хотя рядом с ним слышались звуки музыки, и женский голос интересовался, будет ли Василий Петрович танцевать. Этот голос показался Алене смутно знакомым, где-то ей уже приходилось его слышать. Но ревновать она не торопилась: она знала, где сейчас сидит Василий Петрович. Видимо, желая отдохнуть от тетки Веры, он отправился в развлекательный комплекс, выстроенный недавно у них в «Дубочках». В этом комплексе имелись и ресторан, и клуб, и дискотека.

— Пусть развеется, — решила Алена про своего мужа.

Да и голос пристававшей к Василию Петровичу женщины явно принадлежал уже немолодой особе.

Но раз Василий Петрович не захотел ей помочь, то пришлось Алене обратиться за разъяснениями к кухарке — тете Паше, которую все так звали за ее тяжелую мужеподобную фигуру. По паспорту кухарка была Прасковья, но когда кто-то попытался сократить ее имя до Параши, то немедленно получил здоровенную оплеуху. Больше смельчаков не было, и все стали звать кухарку тетей Пашей, против этого прозвища она не возражала.

С тетей Пашей у Алены сложились самые доверительные отношения. По непонятной причине кухарка любила именно ее, а не хозяина. Все девчонки-горничные были верными вассалками Василия Петровича, это же касалось шоферов, садовника и прочей прислуги. А вот кухарка была целиком и полностью предана одной лишь своей хозяйке. И именно от нее Алена ожидала получить наиболее полную информацию о том, что же такое произошло сегодня между их гостьями и Василием Петровичем, что разгневало последнего до такой степени.

Тетя Паша была на своем рабочем месте, делала заготовки для следующего дня. Но, увидев хозяйку, она не просияла, как обычно, улыбкой, а лишь покосилась на Алену и вновь принялась считать луковицы на столе.

— Одна, две, три, пять... Тьфу ты! Опять сбилась! У вас ко мне дело, Алена Игоревна? А то если нет, то шли бы вы отсюда, не хозяйское это дело — в кухне торчать.

Алена оторопела. Весь вид тети Паши, а особенно ее тон говорили о неприязни и даже враждебности.

— Тетя Паша, что с тобой? — воскликнула Алена. — Я тебя чем-то обидела?

Тетя Паша, сердито сопя, продолжала считать луковицы. Она избегала смотреть в сторону Алены, а лишь перекладывала луковицы с места на место. Длилось это слишком долго для того, чтобы перечесть несколько луковиц. В конце концов терпение у Алены лопнуло, и она рассердилась:

— Да выбрось ты их!

И не дожидаясь, пока кухарка последует ее совету, сама скинула луковицы на пол. Они покатились в разные концы кухни, и тетя Паша растерянно посмотрела им вслед.

— Чего это вы разошлись, Алена Игоревна? — спросила она у хозяйки, но голос у нее звучал уже более мирно. — Овощи-то ни в чем не виноваты. А вы их взяли и расшвыряли. Впрочем, что с вас взять, сами-то вы их не растите, не знаете, каково это — на поле спину гнуть.

— Хочешь обсуждать, кто что может, а кто не может?

— А чего тут обсуждать? Известное дело — вы хозяева, вам и вожжи в руки.

— Тетя Паша, я что-то не понимаю, о чем ты говоришь? Что случилось? Я тебя чем-то обидела?

— Вы-то нет, а вот эта ваша гостья... Ох и вреднючий у бабы язык, я вам скажу!

— Можешь не говорить, — вздохнула Алена. — Я и сама знаю. И что же она говорит?

— Разное.

— Про меня?

— И про вас тоже, — уклончиво ответила тетя Паша, отводя глаза.

Но Алена настаивала, и тете Паше пришлось вкратце пересказать то, что ей насплетничала обозленная Алениным отказом тетя Вера. В принципе ничего нового Алена о себе не услышала, вся информация была ей известна. Вот только соус, под которым она была подана, в корне менял ее вкус. Оказалось, что Алена с детства была злая и завистливая девочка, которая во всем завидовала Арине, даже жадничала отдать малышке свои старенькие и совсем не нужные игрушки. Потом выскочила удачно замуж и совсем забыла о подруге, бьющейся вместе с матерью на грани нищеты. А теперь, когда у самой миллионы, предпочитает тратить их на жиголо, которых подбирает в заморских краях, пока ее муженек — лопух и простофиля, который дальше своего носа ничего не видит и во всем верит профурсетке-жене, зарабатывает для нее еще больше денег.

Впрочем, надо отдать должное тете Паше, в супружескую измену Алены она не поверила. Но вот тот факт, что Алена отказалась дать Арине денег на образование, ее несказанно возмутил.

— А ты хоть знаешь, сколько они просили? — воскликнула обиженная Алена. — Почти два миллиона! И это притом, что я точно знаю: деньги будут выброшены в пустоту. Если бы у Арины были хоть какие-то способности к учению, они бы у нее проявились еще в школе, а не теперь, когда ей перевалило за тридцатник.

Выслушав хозяйку, тетя Паша окончательно смягчилась и только спросила:

— И зачем вы только в гости ее пригласили? Кто она вам? Родственница?

— Какая родственница? Просто подруга моей мамы.

— А с дочкой ейной вы и впрямь так дружили?

— Не дружила я с ней никогда.

— Значит, она вам не подруга?

— Настоящая подруга у меня одна, и ты ее прекрасно знаешь.

— Да, Ингу вашу я знаю, — задумчиво произнесла тетя Паша. — А Арину эту я и впрямь первый раз увидела. Но ведь матушка-то ее говорит, что вы с Ариной подружки просто неразлейвода.

— Но ты же сама понимаешь: будь мы с ней такими задушевными подругами, уж наверное, ты бы ее раньше увидела или хотя бы услышала про нее.

— Так-то оно так, да только баба эта ходит и небылицы свои всем рассказывает. Да так убедительно — многие ей верят. Вот и я тоже поверила, хоть и ненадолго.

— Но теперь-то не веришь?

— Я-то нет, со мной вы поговорили. А другие?

— А с другими ты поговори, убеди их, что моей вины в случившемся нет. Арина уже взрослая, если ей нужны деньги на образование — пусть заработает.

Но, говоря так, Алена уже понимала, что обречена. Даст она Арине эти деньги. Вернее, попросит их у Василия Петровича, поскольку сама ничегошеньки не зарабатывает, а ее новая должность начальника пиар-отдела вряд ли принесет ей большие барыши, учитывая мизерную пользу, которую Алена вносит в общее дело. Но у Василия Петровича она денег попросит. Может, и впрямь образование сделает Арину другим человеком?

До позднего вечера Алена ждала возвращения домой Василия Петровича. Но он как уехал сразу же после того, как велел Алене выставить завтра утром тетку Веру с Ариной из их дома, так до сих пор и не появлялся. Напрасно Алена звонила мужу, он лишь коротко информировал, что до сих пор занят и вернется не скоро. Так продолжалось почти до полуночи, когда Алене надоели эти отговорки, и она пошла спать.

Как ни странно, заснула она быстро и крепко. Наверное, потому что совесть у нее была чиста. И все наговоры, сеть из которых накинула ей на голову тетка Вера, не причинили Алене особого вреда. Да, было немного противно, но в то же время Алена была рада, что эта противная парочка уже через несколько часов свалит из «Дубочков», чтобы никогда больше тут не появляться.

В то же время Алена пыталась поставить себя на место тетки Веры и Арины и задалась вопросом: не встреться ей Василий Петрович, не стала бы и она такой же, как эти две? Ведь нищета способна довести даже самого хорошего человека до полного отчаяния. И все-таки что-то подсказывало Алене, что она никогда не стала бы ссориться с человеком только потому, что он не дал ей денег. Не дал — значит, имел на то свои причины. И если даже просто пожадничал, так это его деньги и его дело, как ими распорядиться.

Насильно, как известно, мил не будешь. Если человек захочет тебе помочь, то он поможет сам, без всяких просьб и понуканий. А если не захочет, то и нечего его к этому принуждать. И уж конечно, мстить человеку за то, что тот обманул ваши возложенные на него надежды, причем сам он об этих ваших надеждах даже не помышлял, просто подло.

С этими мыслями Алена и заснула, уверенная, что все ее беды остались позади. Ах, если бы она только знала, как горько ошибается! Но Алена даже не догадывалась, что ее беды только начинаются, и потому счастливо улыбалась во сне.

Глава 5

Спала она недолго. Уже около четырех часов утра Алена открыла глаза и почувствовала, что совершенно проснулась. За время сна она успела набраться отваги и теперь намеревалась, как и велел ей Василий Петрович, побеседовать с теткой Верой и Ариной. Ничего, что раннее утро. Будет куда хуже, если тетка Вера и Арина укатят, как и грозил им вчера Василий Петрович, первым поездом обратно в Питер, а Алена так и не успеет с этими двумя особами поговорить. Ведь в городе тетка Вера прямым ходом кинется жаловаться на Алену ее маме. Маме станет нехорошо оттого, как дочь и зять поступили с ее подругой, да еще в интерпретации тетки Веры. Мама наверняка начнет плакать, начнет звонить Алене, пойдут претензии и укоры.

— Ну уж нет! Этого никак нельзя допустить!

Только в самом крайнем случае, если они вообще никак не достигнут взаимопонимания, только тогда Алена была готова посадить обеих женщин на поезд и отправить восвояси.

Впрочем, Алена надеялась, что до такого открытого разрыва отношений дело все же у них не дойдет.

— Ссориться никто не хочет. Тетке Вере просто нужны от нас деньги. А мне нужно, чтобы она не трепала нервы моей маме. А Васю я как-нибудь уговорю, он ценит мир в семье не меньше моего.

Супруг спал рядом, но по тяжелому дыханию Алена догадалась, что Вася вчера выпил, и немало. Видимо, слова тетки Веры дошли и до его ушей. И неудивительно, что он так взбесился! Но Алена знала, что муж отходчив. Она почти не сомневалась, что если тетка Вера извинится перед ним за те грязные сплетни, что она вчера распускала об Алене по дому, то Вася ее простит и даст денег.

— Пойду скажу этим двум идиоткам, что они могут рассчитывать на нашу помощь. Объясню, что вчера я погорячилась. В конце концов, Арина тоже имеет право на свой шанс в жизни.

Полная самых благих намерений Алена отправилась в комнату к Арине. Она решила, что сначала поговорит с ней, заручится ее поддержкой и пониманием, а потом уже пошлет Арину впереди себя в качестве парламентера.

Но, к удивлению Алены, ее приятельницы в комнате не оказалось. Сначала Алена долго, но деликатно стучала в дверь комнаты Арины. Потом стучала уже погромче и не так деликатно, а затем, отчаявшись, нажала на ручку двери и почувствовала, что она поддается. Войдя в комнату, Алена быстро поняла, что гостья сегодня еще не возвращалась домой. Кровать стояла расстеленная, как ее приготовила горничная, но нетронутая. А сиротливо висящая у изголовья ночнушка была так безупречно отглажена, что сразу же становилось ясно: ее не одевали еще ни одного раза.

— Интересное кино, — изумилась Алена. — И где же она?

Она принялась вспоминать и поняла, что вчера вечером после ссоры с теткой Верой не видела ни ее, ни Арину.

Первым делом Алена подумала про Ваню. Именно с ним Арина проводила больше всего времени. Видимо, узнав об их с матерью скором отъезде, из которого Василий Петрович не делал никакого секрета — все в доме могли слышать его крики и угрозы в адрес тетки Веры и ее дочери, — Арина решила удариться во все тяжкие.

— Она с Ваней. И как мне быть? Самой соваться к тетке Вере страшно. А, ладно! Поговорю с Ариной по телефону, так даже лучше.

Но стоило Алене набрать номер приятельницы, как она услышала со столика мелодичную трель: Арина забыла свой телефон в комнате. Пришлось звонить Ване. Тот долго не брал трубку, а когда все же взял, голос его звучал сонно и рассеянно.

— Какая еще Арина? Не знаю я, где она. Алена Игоревна, вы чего? Я сейчас совсем в другом месте.

— И Арины рядом с тобой точно нет?

— Нет.

— Ты меня не обманываешь?

— Зачем мне это?

Вопрос поставил Алену в тупик. И она не нашла ничего лучше, как спросить у Вани:

— А где же она тогда?

— В спальне у нее смотрели? — зевнув, осведомился телохранитель.

— Сейчас тут и стою.

— И чего? — проявил Ваня первые признаки заинтересованности. — Нет ее?

— Нет и не было. Не ночевала она тут.

— Вот коза! — почему-то расстроился Ваня. — С кем же она еще, кроме меня, успела замутить? А ведь я чувствовал, что она чего-то крутит. Но где и с кем, не знаю. Как ни старался, с поличным поймать ее никак не мог. Ну и хитра девка!

— Ваня скажи, что мне делать-то?

— У маменьки ейной спросите. Она должна знать, где ее доченька по ночам шляется.

Алене не хотелось признаваться Ване, что она элементарно боится соваться к тетке Вере, и поэтому задумчиво протянула:

— Думаешь?

— А то! У вас — женщин — мать всегда лучший друг и советчик.

Можно подумать, что у вас не так! Если не у всех, то у очень многих мужчин именно так и получается.

Но Алена не стала углубляться в обсуждение этого, а просто сказала:

— Ладно, схожу к ней.

— Вы идите, а я тоже подтянусь.

— Ты приедешь?

— Постараюсь побыстрее. Хочу взглянуть в глаза этой шалаве, когда она домой под утро заявится. Интересно, что она мне скажет?

Ваня был полон самого праведного негодования. Кажется, он совсем забыл, что и сам провел эту ночь далеко не безгрешно. Во время их телефонного разговора Алена дважды слышала женский голос, ревниво осведомляющийся, кто это звонит ее котику в такое время. Первый раз «котик» посоветовал даме отстать, а второй раз велел ей заглохнуть. Дама обиделась и обругала Ваню с такими интимными подробностями, что не оставалось никакого сомнения: эти двое очень и очень близки, как только могут быть близки между собой мужчина и женщина.

Но ни этот факт, ни наличие четырех постоянных любовниц не заставили Ваню простить Арину. Нет, он был рассержен на нее и явно считал, что она его подло обманула.

Когда Алена выходила из комнаты Арины, то обратила внимание, что телефон снова звонит. Взглянув на высветившийся номер, она увидела, что вызов исходит от Вани. Тому явно не терпелось поговорить со своей новой подружкой и высказать ей все, что он думает о ней и ее поступке. Ваня, как и многие другие мужчины, считал: что позволено Юпитеру, то не позволено быку или, как в данном случае, корове.

Возле комнаты тетки Веры Алена немного притормозила. Придуманный ею план на ходу приходилось корректировать.

— Значит, стучу, тетка Вера мне открывает, и я сразу же извиняюсь и говорю, что денег я ей дам. Думаю, после этого разговор у нас пойдет несколько легче. Конечно, тетка Вера сделает вид, что ужасно оскорблена моим вчерашним поведением, ну а я в ответ скажу, что распускать обо мне грязные сплетни — это не лучший выход.

Алена много раз сталкивалась с проявлением недальновидности тетки Веры. Распуская о людях грязные сплетни, она всякий раз свято верила в то, что те не узнают, от кого они исходят. И сейчас Алена полагала, что ей удастся нанести ответный удар тетке Вере, который заставит ту наконец замолчать.

Постучав в дверь, Алена подождала несколько минут, дав возможность женщине подняться с кровати и подойти к двери. Потом постучала еще раз и еще. И наконец, убедилась, что тетя Вера не отвечает.

— Что это? — удивилась Алена. — Тоже ушла? Может, они вдвоем ушли? Она и Арина? Взяли вещи и уехали еще ночью?

Но тут же она вспомнила, что видела в комнате у Арины ее вещи. Вряд ли Арина оставила бы их, вздумай они с матерью удрать из «Дубочков», не простившись с хозяевами. Арина и ее мать очень трепетно относились ко всему, что считали своим. Они никогда бы не оставили вещи, поэтому эта версия отпадала. Алена нажала на ручку двери и через секунду оказалась в комнате у тетки Веры.

— Что это вы дверь не закрываете, а, тетя Вера? — приветливо произнесла Алена. — Что это у вас с дочерью за мода такая — спать с дверями нараспашку?

Так как тетка Вера не отвечала, дуясь и прячась от нее под одеялом, Алена улыбнулась еще шире и присела на краешек кровати.

— К Арине захожу — у нее открыто, — продолжила она разговор. — К вам стучусь — у вас тоже открыто. Конечно, злодеев у нас в доме нет, но все-таки закрываться надо.

Тетя Вера и тут не отреагировала. Видимо, здорово обиделась на Алену. Она пряталась под покрывалом, так что наружу торчал только клок ее волос.

— А я к вам пришла, чтобы извиниться, — сказала Алена, разглядывая эти волосы со странным смущением.

И снова никакого ответа она не услышала.

— Хочу, чтобы вы знали: я вас с Ариной очень сильно люблю.

Почему-то клок волос на подушке вызывал у Алены смутное беспокойство. Она снова взглянула на него и произнесла:

— И я буду рада, если Арина пойдет учиться.

Никакой реакции. Помедлив мгновение, Алена все-таки произнесла сакраментальную фразу:

— Я дам вам денег на высшее образование для Арины.

Но тетка Вера и тут не произнесла ни слова.

— Ну это уже слишком! — возмутилась Алена. — Хватит дурочку валять! Тетя Вера, я к вам по-человечески, а вы?..

Резким движением руки она сдернула покрывало с головы тети Веры, и тут же громкий крик вырвался у нее из горла. Затем Алена одним прыжком оказалась в дальнем углу комнаты, сама изумляясь, как это у нее получилось так далеко отпрыгнуть. Наверное, страх придал ей такие силы. Ведь на кровати у тети Веры лежала совсем не она, а какая-то посторонняя тетка.

Но даже не это было самое странное и страшное. В конце концов, ну, устал человек, зашел, увидел свободную кровать, лег и вздремнул, с кем не случается. Хуже всего было то, что тетка на кровати лежала совершенно неподвижно. И одного-единственного взгляда Алене хватило, чтобы понять: тетка была абсолютно мертвой.

И теперь Алена стояла в отдалении от своей находки, дрожала и пыталась убедить саму себя, что ей просто показалось.

— Подойду. Если мертвая, не укусит же она меня. Может, мне просто показалось.

Алена пересилила страх и заставила себя снова подойти к кровати тетки Веры и внимательно взглянуть на лежащую в ней мертвую женщину.

— О-о-о!.. — простонала она. — Не показалось!

К тому же, перекошенное в предсмертной гримасе лицо, остекленевший, полный ужаса взгляд и открытый в последнем крике рот говорили, что конец этой женщины был далеко не мирный. Скорее всего, она умерла не своей смертью — ее убили.

— Черт! — шарахнулась от трупа Алена. — Что за фигня?

Но это было единственное, что она успела произнести, потому что в ту же секунду в коридоре послышались шаги и в комнату вошел Ваня.

— Алена Игоревна, я слышал, вы кричали, — произнес он деловито. — Что у вас тут?

— Вот.

И Алена посторонилась, давая Ване возможность обозреть кровать и лежащую на ней покойницу.

— Дьявол! — тоже выругался Ваня, после чего поспешно кинулся к дверям и захлопнул их перед самым носом горничной Поли, которая уже сунулась в комнату.

Девчонка забарабанила снаружи, но Ваня, не обращая внимания, повернулся к Алене и спросил:

— Это что же такое, а, Алена Игоревна? Что такое получается?

— Ваня, я ни при чем, — пролепетала Алена. — Я пришла, а она тут лежит. Я ее не трогала!

Ваня подошел ближе к кровати, и на его физиономии проступило явственное изумление.

— Это же не ваша родственница.

— Это не тетя Вера, точно.

— Это какая-то другая баба.

— Сама вижу.

Ваня наклонился поближе, пристально всматриваясь в черты погибшей.

— Я ее видел у нас в «Дубочках», — сказал он наконец очень мрачно. — Это кто-то из отдыхающих.

— Только этого не хватало! — ужаснулась Алена. — Если пойдет слух, что люди вместо того, чтобы набираться у нас в «Дубочках» здоровья, теряют тут последнее, нам всем придется худо. Отчего она умерла?

— Трудно сказать, — произнес Ваня, продолжая рассматривать покойницу и мрачнея при этом все сильнее и сильнее.

А затем, откинув одеяло, он оглядел ее всю целиком. Алена с удивлением констатировала, что мертвая женщина одета в ночную сорочку. Ноги у нее босые. И вообще, она выглядит так, словно находится на своем законном месте, а вовсе не в чужой кровати.

— По... почему она лежит тут... так? И где тетя Вера?

— Я бы тоже это хотел знать. Где законная хозяйка этой постели? Почему тут вместо нее лежит эта мертвая баба? Как она тут очутилась?

И Ваня принялся, на взгляд Алены, удивительно бесцеремонно вертеть мертвую женщину.

— Ваня, нельзя же так, — попыталась вразумить его Алена и, заметив, что Ваня расстегивает ворот ночной сорочки, воскликнула: — Что ты делаешь?

— Хочу осмотреть ее целиком. Ага! Вот оно что!

— Что?

Ваня осторожно положил женщину на кровать и внимательно взглянул на Алену.

— Убили!

— Что ты говоришь? Кого убили?

— Ее убили.

И Ваня указал на покойницу.

— Она не просто умерла, ее убили. Всадили нож в спину.

— Ты... ты уверен?

— Самого ножа уже нет, но рана под лопаткой имеется. Как раз в области сердца. Думаю, что она недолго мучилась.

И Ваня пробежался по комнате, внимательно рассматривая окна и подоконники. Алена в это время осматривала постель, затем произнесла:

— Но крови совсем нет.

Белая ночнушка и постельное белье были безупречно чистыми, ни единой капельки крови.

— Как такое могло произойти?

— Только в том случае, если ее убили в другом месте, а потом уже мертвое тело перенесли в эту комнату, переодели в ночную сорочку и уложили в кровать. Это ведь ночнушка вашей родственницы?

— Ваня, я тебе сто раз говорила, тетя Вера мне не родственница, она подруга моей...

— Да-да, я понял. Но это ее сорочка?

— Ее... Кажется, да... ее.

— Но точно вы сказать не можете?

— Нет, я не знаю. Можно спросить у Арины, она должна знать вещи своей матери.

Ваня почесал в затылке.

— У Арины... Хм, саму бы Арину кто нашел!

Ваня мрачнел на глазах.

— Странное дело, баба эта явно из наших отдыхающих. Но в усадьбе я ее прежде не видел.

— Не было ее тут. Что ей тут делать?

— А теперь вот есть. Мертвая.

— Сама она вряд ли могла прийти. На ночь двери и окна закрываются.

— Окна! — презрительно хмыкнул Ваня. — Давно я вам говорил, Алена Игоревна, надо решетки ставить на окнах. В «Дубочках» у нас нынче много всякого народу ошивается. Среди них не самые лучшие экземпляры встречаются.

— Ну что ты говоришь! Какие решетки! Не хватало еще, чтобы моя комната и другие в камеры превратились, а сама усадьба — в тюрьму!

— Решетки — это элементарная мера безопасности. Были бы на окнах решетки, преступникам не так-то легко было бы проникнуть в дом.

— Думаешь, они проникли через окно?

— А тут и думать нечего. Взгляните-ка сами.

И Ваня подвел Алену к одному из четырех окон, которые имелись в этой просторной гостевой комнате.

— Вот как он или они прошли сюда.

Ваня указывал на четкий отпечаток чьей-то ноги. Судя по размеру, мужской.

— Здоровенный мужик, — произнес Ваня. — Размерчик-то сорок пятый или даже сорок шестой. У меня нога и то меньше.

— Думаешь, этот тип притащил сюда покойницу?

— Запросто.

— Уже мертвую?

— Мог и мертвую. Чего там тащить-то? В тетке не больше пятидесяти килограммов. Тощая совсем.

— И он с таким весом поднялся по голой стене? Не верю.

— А зря, — укорил ее Ваня. — Вы бы выглянули наружу прежде, чем говорить. Там же все плющом заросло. По нему мужик этот и поднялся. А покойницу мог за спиной пристроить, вроде рюкзака. Лично я именно так бы и поступил.

Алена выглянула наружу и убедилась, что Ваня говорит дельные вещи. Вся стена была густо оплетена невероятно разросшимся амурским виноградом, который Ваня по неведению называл плющом. Мощные и ползущие все время вверх и в стороны побеги этого растения умело цеплялись за каждую выбоинку, за каждую щелочку. Да еще садовник в свое время подставил для своего любимца крепкую ограду, сваренную их железных прутьев, на которых виноград и устроился с максимальным удобством.

Виноград этот был первым растением, появившимся в новом саду. И видимо, поэтому садовник уделял ему особое внимание, без конца поливал, удобрял, рыхлил и всячески о нем заботился. В ответ на такую заботу виноград разросся необычайно пышно. Его густые листья совершенно скрыли бы комнату, если бы Алена не распорядилась прорубить в побегах своего рода амбразуры, дав доступ в комнату солнечному свету.

— С тем, как преступник проник в эту комнату, все ясно. Теперь разобраться бы с личностью убитой. Ведь неспроста она тут появилась... Как вы считаете... А? Да еще накануне выборов!

Но Алена молчала. Перед ее мысленным взором уже мелькали заголовки газет. «Злодейское убийство в поместье будущего депутата». «Можем ли мы доверить наши судьбы человеку, который не в состоянии уследить за тем, что творится у него под самым носом?» И другие в том же духе, ничем не лучше.

— Ваня, а не может ли это быть связано с депутатской гонкой?

— Думаете, под Василия Петровича подкапываются?

— А ты сам посуди: убийство совершено в другом месте, но затем преступник с невероятными трудностями транспортирует тело убитой им жертвы к нам в дом. Это явно неспроста!

Ваня уставился на хозяйку.

— Умная у вас голова, Алена Игоревна. Я тоже про Василия Петровича в первый момент подумал, что это под него подкапываются. Но у меня основания были, а вы просто так взяли и догадались. И как это вы всегда умеете так хорошо рассуждать?

— Это еще что, — покраснела Алена. — Вспомни Ингу, вот у той голова так голова!

Но Ваня вспоминать подругу Алены не захотел, и Алена догадывалась почему. Дело в том, что Ваня в свое время был долго и безответно влюблен в Ингу. А она предпочла ему другого мужчину — следователя Залесного, к которому Ваня свою старую любовь ревновал просто безумно. И даже мысль о ней доставляла ему страдания.

Поэтому сейчас он не стал разговаривать на эту тему и вместо этого спросил:

— Что же нам делать? Нельзя, чтобы эту женщину обнаружили тут... у нас в доме.

— Скрыть это не удастся. Слышите, в коридоре уже шумят.

И действительно, в коридоре раздавались возбужденные голоса.

— Это вы своим криком людей перебудили! — укоризненно заметил Ваня.

— Но я не виновата, я очень испугалась.

— Так я мог бы эту бабу отсюда вынести и устроить где-нибудь за пределами поместья. А теперь — даже и не знаю.

— Но это же нехорошо. Перемещать тело и все такое...

— Тело с места преступления нельзя перемещать. А его уже и без нас давно переместили.

— Но это не этично.

— Ей-то уже все равно, — кивнул на покойницу Ваня. — А нам все меньше хлопот. Одно дело, если ее поодаль от «Дубочков» найдут, и совсем другое, если в самой усадьбе. Василий Петрович может здорово влипнуть.

При мысли о любимом муже Алена тут же воскликнула:

— Ваня, унеси ее отсюда! Немедленно.

— А как? В коридоре полно людей.

На мгновение Алена задумалась, а потом воскликнула:

— Через окно!

— Чего?

— Ты же сам говорил, что запросто справился бы с таким делом!

— Ну, допустим.

— Тетка легкая, а ты сильный.

— Предположим.

— Окно выходит в сад. В саду никого нет. Спустишься, через сад пройдешь к своей машине и увезешь эту бабу куда подальше!

— Ну, я даже не знаю, — смущенно почесал в затылке Ваня. — В принципе можно.

— Вот и действуй!

— Лишь бы никто не увидел.

— Когда ты вылезешь в окно, я сумею отвлечь внимание людей на себя.

— А... ну, ладно тогда.

Приняв решение, Ваня взялся за его осуществление. Из простыни он соорудил нечто вроде рюкзака, в который завернул мертвое тело, и затем пристроил его себе за спину, завязав концы на груди. Попрыгав на месте и убедившись, что все зафиксировано надежно, Ваня шагнул к окну и помахал Алене рукой.

— Ну, если что, не поминайте лихом!

И сиганул наружу. Алена перевесилась через подоконник и проследила, чтобы с Ваней ничего не случилось. С замиранием сердца она наблюдала за тем, как дрожат виноградные плети.

— Хоть бы не оборвались! Хоть бы выдержали!

Виноград выдержал, и Алена поклялась, когда вся эта история закончится, она обязательно скажет Василию Петровичу, что надо прибавить садовнику жалованье. Между тем шум в коридоре сделался и вовсе нестерпимым, да еще к голосам прислуги добавился голос самого Василия Петровича.

— Что тут происходит?

— Там Ваня закрылся, — раздался голосок той самой Поли, поднявшей тревогу. — А перед этим я слышала, как Алена Игоревна кричала.

— И я слышала!

— И я!

— Я тоже слышал.

— Они там.

— Вдвоем.

Алена даже похолодела от возмущения. Что вообразила себе прислуга? Что у нее роман с Ваней, которого она тайно принимает в комнате тетки Веры?

— Ваня, открой! — постучал в дверь Василий Петрович. — Ты чего там делаешь?

Поняв, что дольше молчать невозможно, Алена произнесла:

— Вани тут нет.

— Алена?

— Я.

— А ты что там делаешь?

— Ничего.

— Открывай!

Василий Петрович влетел в комнату с таким видом, что Алена невольно подумала: сплетни тетки Веры возымели свой результат. Василий Петрович резво пробежался по комнате, а потом спросил у Алены:

— Ты тут одна?

— Как видишь.

— А Ваня?

— Понятия не имею, где он.

Но противная Поля тут же вылезла вперед:

— Он был тут! Я видела!

— Ты ошиблась, девочка, — ласково произнесла Алена, в душе поклявшись, что при первой же возможности избавится от этой горничной, вздумавшей открыто перечить своей хозяйке. — Никого, кроме меня, тут нет.

— Но я видела, — повторила Поля.

— Тебе показалось.

Вани в комнате не было, и Василий Петрович начал успокаиваться. Он повернулся к жене и уже куда более миролюбиво спросил у нее:

— А почему ты тут спишь?

— Ты очень храпел. И... пах.

— Да, выпил вчера лишку, — признался Василий Петрович. — Даже не помню, как до дома добрался. Все потому, что твоя гостья меня расстроила. Но я вижу, что она уже уехала?

Алена промолчала. О том, куда могла деться тетка Вера, у нее не было ни малейшего представления. Но Василию Петровичу ответ Алены был и не нужен.

— Уехала — и прекрасно! — заключил он. — Я очень рад, что мы избавились от этой злыдни!

И повернувшись к людям, он громогласно заявил:

— Тревога отменяется. Всем разойтись!

Слуги, вполголоса переговариваясь между собой, медленно побрели прочь. Люди были явно недовольны тем, как все прошло. Наверное, они рассчитывали, что Василий Петрович задаст своей неверной жене трепку или на худой конец хотя бы устроит ей скандал. Ну, или что-то такое в этом духе.

Алена видела, что многие кидают на нее неодобрительные, а женщины постарше и откровенно осуждающие взгляды. Но теперь мнение этих людей очень мало ее волновало по сравнению с другой проблемой. В голове у Алены, словно птицы в клетке, бились тревожные мысли.

Удалось ли Ване незаметно вынести тело из их усадьбы? Не задержали ли его? Не стал ли их верный Ваня жертвой собственной преданности? Все эти мысли были очень важны, но их перекрывала одна-единственная, огромная и тревожная: у них в «Дубочках» появился опасный преступник. И теперь им надо этого негодяя каким-то образом изловить.

— Без полиции все равно будет не обойтись.

С этим фактом Алена уже смирилась. Но ей было страшно за Василия Петровича. Ведь у того на носу выборы. А значит, ни в коем случае нельзя допустить, чтобы убийство было хоть отчасти связано с личностью Василия Петровича. И как сделать, чтобы и волки были сыты, и овцы целы, Алена в данный момент решительно не представляла.

Глава 6

Ответы на свои тревожные вопросы Алена получила лишь во время обеда, когда Ваня появился у них в усадьбе. Первым делом он поздоровался с Василием Петровичем, который хотя и протянул ему руку, но все же недовольно осведомился:

— Где ты пропадал все утро? Я тебе звонил, телефон у тебя был выключен.

— Зарядить забыл.

— Ты? — усмехнулся Василий Петрович. — Никогда в такое не поверю.

— И на старуху бывает проруха.

Ваня присел к столу и устало вздохнул.

— Вид у тебя какой-то не слишком радостный, — тут же отметил Василий Петрович. — Что случилось?

— Пару часов назад неподалеку от «Дубочков» найден труп женщины. Средних лет. Славянская внешность.

— Труп?

Василий Петрович даже слегка подпрыгнул.

— У нас?

— Не у нас, — отозвался Ваня, кинув на Алену единственный, но очень много сказавший ей взгляд. — Но по соседству. Знаете этот лесок возле Березовки?

— Конечно.

— Там ее и нашли.

— Не очень близко, но и не так далеко от нас. И как ее убили?

— Ударили сзади ножом. Один удар, нанесен профессионально.

— Ты это откуда знаешь?

Ваня на мгновение задумался.

— Слышал, как полицейские между собой разговаривали.

Алена сердито нахмурилась. Ваня чуть было не выдал себя уже в самом начале. Но хорошо, что ему хватило ума вывернуться.

До сих пор Алена мужественно держала случившееся в тайне от мужа. Она ничего не рассказала ему о своей страшной утренней находке, потому что не была уверена, что ему вообще надо знать о том, что труп был найден именно у них в усадьбе.

— Значит, уже и полиция пожаловала на место преступления? — произнес тем временем Василий Петрович. — Что же... хорошо, что не к нам в «Дубочки».

Ваня помрачнел еще больше, а потом сказал:

— Я считаю, что нам тоже надо заняться расследованием этого убийства.

— Нам? С какой стати?

— Эта женщина отдыхала у нас в пансионате.

— Ах, вот как! Тогда конечно. Только... Кто же этим займется?

И Василий Петрович растерянно взглянул на жену и Ваню.

— Может быть, ты?

— Я? Я могу попытаться. Если Алена Игоревна будет руководить, то я — пожалуйста.

— А я считаю, что нужно позвать Ингу.

На лице Вани произошли изменения. Стоило ему услышать о возможном появлении Инги, как настроение у него улучшилось и на лице стремительно появилась счастливая улыбка. Впервые за все время разговора он выглядел довольным.

— И еще Залесного, — прибавила Алена.

Улыбка на лице Вани так же стремительно растаяла.

— А этого еще зачем? — пробурчал он. — Всегда втроем справлялись, и на этот раз никто четвертый нам не нужен. В случае чего Василий Петрович подсобит.

— У Василия Петровича в связи с его предвыборной кампанией дел и так по горло. Он целый день занят. А Залесный — профессиональный сыщик, ловить преступников — это его работа.

— И чего? Я в нашей полиции, почитай, всех ребят знаю. И они меня уважают. Так что, если информация какая нужна будет, я не хуже Залесного ее раздобуду.

Ване очень не хотелось, чтобы Залесный приезжал в «Дубочки» и путался между ним и Ингой. Алена хорошо понимала причину Ваниной неприязни к своему счастливому сопернику, но все же считала, что пригласить Ингу одну будет чудовищной невоспитанностью.

— Я пойду позвоню Инге, — поднялась Алена со своего места. — Что она скажет?

— Идите, — кивнул головой Ваня. — А мне надо поговорить с Василием Петровичем.

Мужчины прошли в кабинет к Василию Петровичу, а Алена пошла в спальню, где по скайпу связалась с Ингой. Она догадывалась, о чем у Вани с Василием

Петровичем будет разговор, и понимала, что ситуация складывается крайне серьезная. Залесный бы им и впрямь не помешал.

Но, к удовольствию Вани и некоторому разочарованию Василия Петровича, жених Инги приехать не смог.

— Конечно, я поговорю с ним, — ответила Инга на просьбу Алены приехать к ним в «Дубочки» вдвоем. — Но заранее могу сказать: Игорь очень занят. Отпуск он уже отгулял, за свой счет взять никто не позволит. Мы с ним обсудим еще этот вопрос, но, скорее всего, я приеду одна.

Инга отправилась обсуждать предложение подруги, а Алена принялась размышлять над случившимся. У нее уже было на это время, и она сумела собрать воедино крохи той информации, которые у нее были. Отозвав Ваню, который после разговора с Василием Петровичем выглядел куда менее мрачным, она принялась рассуждать:

— Как могло получиться, что покойница оказалась в спальне у тетки Веры? Что их связывало между собой?

— Что же?

— Во-первых, эта женщина немного похожа на тетку Веру.

— Согласен. Некоторое сходство между ними есть.

— Телосложение, возраст, цвет волос даже немного похож, хотя у тетки Веры волосы выкрашены на тон потемнее.

— И что?

— А то... не мог ли убийца принять эту женщину за тетку Веру? Особенно если он действовал в темноте?

— Ну допустим... А у вашей тети Веры есть враги?

— С ее-то характером? Уверяю тебя, уйма!

— Настолько серьезные, что уже и сюда добрались? Или ваша знакомая ими тут успела обзавестись?

— Может быть, что и тут, — задумалась Алена. — Она много с кем общалась. Я постоянно видела ее в обществе каких-то знакомых, которыми она быстро обзавелась.

Но где в последнее время чаще всего бывала тетя Вера? В водолечебнице. А погибшая женщина тоже являлась постоялицей пансионата, а значит, скорее всего, тоже проходила курс лечебных процедур. Ведь пансионат изначально и был выстроен с учетом наплыва туристов, желающих оздоровиться на чудодейственных водах и грязях «Дубочков».

— Пока Инга не приехала, наведаюсь в водолечебницу, — решила Алена. — Поговорю там с персоналом, может быть, кто-то и сумеет рассказать мне про покойную.

— Я с вами.

— Нет, не надо. Дело это несложное, а нам с тобой лучше поменьше показываться на людях вдвоем.

— Почему это? — разинул рот Ваня.

— Да понимаешь, — смутилась Алена. — Даже неловко говорить о таком... Но тетка Вера перед тем, как исчезнуть, успела всем наговорить кучу гадостей про тебя и меня.

— На какую тему?

— Ну, наплела всем, будто бы у нас с тобой роман.

— Вот гадина! — возмутился Ваня, которому никто не рассказал о том, что напридумывала про него и Алену противная тетка Вера.

Да и кто бы посмел обратиться к Ване с подобным укором, учитывая вес самого Вани и его пудовые кулаки, одним ударом которого он запросто мог оглушить молодого бычка! И общественный вес, какой он имел в поместье.

— А Василий Петрович тоже слышал, как она на нас эту грязь лила?

— Да. И еще утром, когда ты ушел, эта девчонка Поля принялась твердить, что тоже видела тебя в комнате. Конечно, я велела ей заткнуться, но она продолжала талдычить, что ты был со мной.

— То-то я смотрю, Василий Петрович сегодня со мной какой-то не такой! И еще спросил, что я сегодня все утро делал... Значит, он этим бабам поверил?

— Нет, не думаю. Просто ему неприятно, что такой разговор вообще состоялся. Ты же знаешь, как Вася трепетно относится к вопросам супружеской верности. Поэтому, щадя его чувства, чтобы кто-нибудь еще ему чего-нибудь не наплел, лучше будет нам с тобой видеться пореже.

— Я-то — пожалуйста, — отозвался Ваня и с тоской спросил: — И когда Инга приедет, мне тоже к вам не приближаться?

— Когда Инга приедет, милости просим. Втроем — это ведь не то, что вдвоем. И еще для тебя хорошая новость: скорее всего, Залесный приехать не сможет.

Ваня заметно повеселел, но все же из гордости сделал вид, что его это не касается.

— А почему меня это должно радовать? Пусть приезжает, если для дела надо. Только я не о том говорю... Мы ведь с вами и Ингой всегда отлично и втроем справлялись.

— Да, справлялись. Но боюсь, что сейчас не тот случай. Мне кажется, что этот труп накануне выборов у нас в «Дубочках» появился отнюдь не случайно.

— По-прежнему думаете, что это конкуренты Василия Петровича нам его подбросили?

— А что ты об этом слышал? — насторожилась Алена.

— Всякие слухи ходят. Очень наш Василий Петрович многим не по нутру.

— И кому именно?

— Да хотя бы взять нынешнего губернатора и его команду. Они ведь понимают: если Василий Петрович сейчас на выборах пройдет, то он и своих людей за собой подтянет. Да и не остановится он на простом депутатстве. Он выше метит. А кому со своим креслом расставаться захочется? Только не нашему Кузьме.

Алена с недоумением покачала головой. Нынешний губернатор области, Кузьма Петрович Вертков всегда производил на нее впечатление этакого простоватого деревенского дядечки, не очень умного, не очень образованного, но зато ратующего за родной край и искренне его любящего.

— Не могу поверить, чтобы Кузьма Петрович приказал убить эту женщину, лишь бы насолить моему Васе.

— А ему самому и не надо было. У него в штабе есть люди, которые не побрезгуют и грязной работой.

— Ты откуда знаешь?

— У всех есть такие люди, — упрямо произнес Ваня. — Впрочем, не хотите Кузьму подозревать, есть и другие.

Алена недоверчиво посмотрела на него. Видела она этих других. И в подавляющем большинстве они были и вовсе деревенщинами неотесанными. И предположить, что кто-то из этих очень простых людей способен на такую изощренную жестокость и коварство в отношении своего оппонента, Алена никак не могла. Впрочем, она понимала общую тревогу, когда на политическом небосводе области появилась такая крупная величина, какой, без всякого сомнения, был ее Василий Петрович. Тут его оппонентам было от чего прийти в ужас.

Доберись Василий Петрович до реальной власти, прежней жизни в области больше уже бы не было. Тут бы все изменилось. И прежним руководителям, и их людям, а также тем, кто не пожелал бы приноравливаться к новой власти, пришлось бы уйти. Люди же в подавляющем большинстве всегда боятся любых перемен. Но не мог же Василий Петрович привести их в такую панику, что они совершенно потеряли головы и стали вытворять совсем несвойственные им вещи? Убивать ни в чем не повинных женщин да еще глумиться над их телами?

— Ты рассказал Васе правду?

— Да, пришлось.

— И как он отреагировал?

— Как он мог отреагировать? Плохо. Он тоже думает, что труп у нас в доме — это чьи-то происки. Скорее всего, его конкурентов.

— Ты их всех знаешь?

— Встречался. Выглядят они простаками, но кто-то же из них прислал нам этот подарочек?

— Ты имеешь в виду покойницу?

— Да. А зовут ее Анастасия Сергеевна Зыкова. Тысяча девятьсот шестидесятого года рождения. Разведена. Проживает в Питере, где имеет постоянную прописку. Вот и все, что удалось узнать из паспорта.

— Погоди, из какого паспорта? — удивилась Алена. — Когда ты ее уносил, при ней не было никакого паспорта.

— Я вам не говорил... Когда я спустился с теткой вниз, то в саду прямо под окнами нашел сумку и какие-то шмотки. Сначала машинально поднял, а в машине рассмотрел, что сумка-то покойницы. И вещи, похоже, тоже ее. Видимо, убийца как тело наверх поднял и переодел в ночнушку, то сумку и одежу вниз сбросил. А когда убегал, то не взял эти вещи. То ли забыл про них, они чуть в сторонку упали, то ли запаниковал, то ли темно еще было, не нашел их просто.

— Последнее вернее всего, — пробормотала Алена, вспоминая о том, что когда она шла к тетке Вере в спальню, то за окном еще толком не рассвело. — И значит, ты несчастную обратно в ее одежду переодел?

— Ага. Не хотелось мне ее в ночнушке вашей гостьи оставлять. Вдруг бы кто узнал? Но и голой оставлять тоже нехорошо как-то было. Вот и повозился, обратно переодел.

— А в сумке что было, кроме документов? — продолжила расспрашивать его Алена.

— Денег немного, и еще разные мелочи.

— Какие?

— Ничего особенного, обычный женский хлам.

— А все же?

— Да не помню я!

Алена вздохнула:

— Ладно, рассказывай дальше.

— Ну вот, я и рассказываю. Ребята из полиции, когда я им намекнул, что наш хозяин будет лично заинтересован в том, чтобы преступник был изобличен и наказан, сразу же согласились сотрудничать. Как только у них появится новая информация, они сразу же сообщат мне. Если только...

— Что?

— Если только кто-нибудь из конкурентов Василия Петровича их на свою сторону не переманит. Тот, кто эту бабу нам подбросил, может и расследование попытаться застопорить.

— Давай не будем зацикливаться на версии происков врагов Василия Петровича. Попытаемся нащупать и другие ниточки. Может, у этой Зыковой был личный враг, который ее и убил? Сейчас я поеду в водолечебницу.

— Куда?

— В банный комплекс.

Водолечебница, которую в «Дубочках» почему-то называли баней, может быть, из-за внешнего сходства строения с обычной деревенской рубленой банькой, притягивала к себе Алену словно магнит. Она была уверена, что там, где женщина проходила свои процедуры, она наверняка проводила и все свое основное время.

— Расспрошу там, что и как. Кстати говоря, это и для поисков тети Веры с Ариной тоже полезно.

— Как? — изумился Ваня. — Эти шлендры еще не возвращались?

— Нет. И я понять не могу, куда они подевались. Вещи их тут, в том числе и ценные. Чтобы тетя Вера оставила свою одежду и обувь — такое в голове не укладывается!

— Вы им звонили?

— Арина свой телефон забыла. А тетка Вера не берет трубку.

— Надо бы узнать, покупали ли они билеты. Я могу смотаться на нашу станцию.

— Будь добр, съезди туда, — обрадовалась Алена. — Потому что, если они просто оскорбились после моего отказа и уехали в надежде, что вещи, одежду и все прочее я им пришлю, это одно. А если они где-то тут, но в усадьбе почему-то не появляются, это уже другое.

И это другое Алену очень тревожило. Убийство неизвестной ей Зыковой, оказавшейся каким-то образом в кровати исчезнувшей тети Веры, заставило Алену задуматься о том, а не угрожает ли опасность также и самой тете Вере. Если с тетей Верой что-то случится, то мама Алену в живых тоже не оставит.

— Вот противная тетка! Так или иначе, а от нее постоянная головная боль!

Но делать было нечего, надо было решать вопрос. И Алена, простившись с Ваней, как и планировала раньше, отправилась в водолечебницу.

Об этом здании надо сказать отдельно. Когда возник вопрос о его постройке, Василий Петрович сразу же заявил:

— Строить будем только из дерева!

Учитывая тот факт, что почти все строения в «Дубочках» возводились основательно, из бетона или кирпича, то этот выбор хозяина удивил всех.

Но Василий Петрович объяснил:

— Дерево — живое, оно дышит и даже спиленное еще долго излучает живое тепло. А камень — он и есть камень. Для места, которое должно лечить само по себе, он совершенно не подходит.

И все возражения, касающиеся меньшей долговечности дерева по сравнению с бетоном или тем же кирпичом, отметались Василием Петровичем без колебаний.

— Ничего, со временем построим другой комплекс. Побольше!

Вера хозяина «Дубочков» во всякое свое начинание приносила удивительные плоды. Чтобы он ни задумывал, все немедленно начинало работать и давать людям несомненную пользу. В «Дубочках» уже была своя пекарня, снабжающая население вкусным ржаным хлебом, а также белыми батонами и даже булочками. Причем во время поста пекари специально делали выпечку без молока и яиц, исключительно для употребления в пищу верующими. Число таковых росло с каждым годом, особенно среди молодежи, ведь молодое поколение, как правило, не желает быть похожим на своих родителей.

А недавно в «Дубочках» появилась даже своя кондитерская, где каждый желающий мог побаловать себя свежими эклерами, меренгами, яблочной пастилой или мармеладом, в которых не было ни единого грамма химии, а только исключительно натуральные продукты, которые произрастали в самих «Дубочках» либо поставлялись окрестными фермерами.

Был в «Дубочках» также и заводик, перерабатывающий дары лесов и полей в консервы. Был рыбный прудик. Были скотный и птичий дворы. Были сады, были оранжереи, была начальная школа и детский садик. Была даже своя церковь с благочинным и щедрым на добрые дела батюшкой. Впрочем, по части милосердия батюшке в «Дубочках» приходилось трудновато. Не было тут людей, хоть в чем-то, кроме духовного наставления, нуждающихся. Все бытовые вопросы решались хозяином, который считал себя ответственным за судьбы людей, доверившихся ему.

Бывали, конечно, и досадные исключения. Пьяницы, дебоширы или просто нечистые на руку и попавшиеся на воровстве на первый раз получали строгое внушение, на второй раз штрафовались, а если и это не помогало им исправиться и они продолжали шкодничать, таким людям Василий Петрович без всяких угрызений совести давал расчет и указывал на порог.

И ни разу не было такого, чтобы кто-нибудь осудил его за это. Ведь жить становилось легче, а люди это очень ценили. Они верили в своего хозяина, а он верил в них. И поэтому все у них сообща получалось легко, просто и вроде бы даже играючи. Как иной раз завистливо говорили их менее удачливые соседи: «Им во всем прет!»

Так же удачно получилось и с водолечебницей. Задуманная вначале совсем небольшой, лишь с помещением для принятия ванн с минеральной водой, русской банькой и помещением для работы костоправа, водолечебница очень быстро обросла дополнительными помещениями.

Теперь тут была также и грязелечебница, где можно было обернуться хоть местными глинами и грязями, хоть медом, который, опять же, производили в «Дубочках», и он был тут на любой вкус, цвет и запах. Ни одна, даже самая капризная модница не смогла бы сказать, что для нее в «Дубочках» не нашлось подходящего сорта меда.

И вот сейчас Алена не без некоторого волнения пришла в эту цитадель удовольствий и здоровья. Сейчас ей придется допрашивать людей, которые были ей хорошо знакомы, с некоторыми даже ее связывали дружеские отношения. Как она справится с этим делом? Ведь одно дело — когда беседуешь с посторонним человеком. Тут можно и приврать для того, чтобы вызвать его на откровенность.

— А с друзьями так не получится. Они знают, кто я и вообще все про меня знают. А я знаю, кто они. И знаю, какие вопросы могут их обидеть. И все равно, если понадобится, эти вопросы я им задам.

В водолечебнице было два администратора — Таня и Наташа. С Таней у Алены сложились теплые и даже доверительные отношения — они были одного возраста и образования, а Наташа была полной противоположностью. Алене много раз докладывали, что Наташа грубо разговаривает с посетителями, позволяет себе отпускать шуточки в их адрес. Может быть, и ничего обидного, но все же такое поведение недопустимо на работе.

Алена не один раз беседовала с Наташей, упрекая в легкомыслии, но та лишь хлопала в ответ глуповатыми круглыми глазами:

— Да что я такого сказала-то, Алена Игоревна? Ну, круглая у нее попа, словно яблоко. Так ведь это же не обидно. И потом, я ведь тихонечко сказала! Почти никто и не слышал. Два-три человека, что рядом стояли, они же не в счет!

— Все равно. Ты на работе и должна выполнять свои должностные обязанности. Обсуждать внешние данные посетителей ты не должна.

Наташа клялась, что она все поняла, что больше не будет, некоторое время все было тихо, а потом ее простецкая натура брала верх, и она снова срывалась. Алена давно бы уволила глупую девицу, но дело в том, что мама Наташи и была тем самым знаменитым костроправом, к которому народ стекался со всех сторон и ехал из самых дальних уголков.

Екатерина Павловна имела два диплома о высшем образовании, почти тридцать лет врачебного стажа и к тому же считалась экстрасенсом. Запись к ней велась на много месяцев вперед. Никогда в жизни эта женщина не поехала бы в «Дубочки», если бы не ее дочь. Наташа страдала аритмией, головокружениями и еще какими-то болячками. И ей была рекомендована жизнь на свежем воздухе, которого в «Дубочках» было сверх всякой меры.

Таким образом и удалось заполучить водолечебнице свою знаменитость. Так как мать считала, что сидеть без дела дочери тоже не следует — от безделья болячки могут только умножиться, то она велела ей работать. Поскольку идти на тяжелую работу дочери было нельзя, а какой-то специальности она обучаться не хотела, мать решила пристроить ее администратором в лечебницу.

— Фамилию пациента, процедуру и время ее проведения записать — много ума не нужно.

Но даже в таком нехитром деле Наташа умудрялась наделать кучу ошибок. Особенно много их было поначалу, тогда Алена просто за голову хваталась. Потом Наташа освоилась, ошибок стало меньше, но и теперь нет-нет да Алена вздыхала про себя: все в девушке было бы прекрасно, если бы только была она чуть поумней и посообразительней.

— Хоть бы она уж замуж вышла. Детей бы нарожала, глядишь, про работу и думать бы забыла.

До мужчин Наташа была охоча, но тут опять выступала властная мама, которая твердо заявляла, что абы кому она свое сокровище не отдаст.

К облегчению Алены, за стойкой сидела Таня. Приготовившаяся к трудному разговору с Наташей, которая опять станет хлопать круглыми глазами и таращиться на хозяйку, словно не понимает ни единого слова из того, что та говорит, Алена радостно воскликнула:

— Танюша! Ты себе не представляешь, как я рада тебя видеть!

— Приветствую вас тоже, Алена Игоревна.

И Таня приветливо улыбнулась хозяйке.

— А разве сегодня твоя смена? — спросила у нее Алена.

— Нет, но Наташа попросила меня подменить ее.

— А сама почему не может? Заболела?

Здоровье у Наташи, как уже говорилось, было не ахти, так что вопрос Алены не удивил Таню. Но вместо ответа она так хитро улыбнулась, что Алена невольно заинтересовалась:

— Что? Говори скорее!

— Любовь у нашей Наташи появилась.

— Любовь? — изумилась Алена и тут же поинтересовалась: — И что же Екатерина Павловна говорит по этому поводу?

— Молчит. Думаю, что ей жених по нраву, потому что обычно она Наташку быстро к порядку призывает. А тут помалкивает. А Наташка от материнского попустительства совсем совесть потеряла. Как ее ни спросишь, все она на работу выйти не может. За последние две недели, она, дай бог, три дня отработала.

— Значит, и у нее тоже любовь? — задумчиво произнесла Алена.

— А у кого еще? — удивилась Таня.

Так как Алена молчала, не желая выдать тайну Натальи Кирилловны, тайну, которую она и сама еще толком не раскусила, Таня вздохнула и прибавила:

— У меня вот все по-прежнему. Муж, дом, семья, работа. Может, у вас?

— У меня? — изумилась Алена. — Почему у меня?

— Говорят, вы свели с ума начальника охраны нашего поместья.

— Ваню?

— Будто бы он потому и жениться ни на ком не может, что ему никто, кроме вас, не нужен. И мол, вы сами ему такое условие поставили, чтобы он не женился.

— Ты от кого такое слышала? — невольно ахнула Алена, уже догадываясь, откуда ветер дует.

Эта сплетня была вполне в духе тетки Веры. Уж чего-чего, а фантазии ей точно было не занимать. Тетка Вера была из породы таких сказочниц, что могла из крохотного просяного зернышка вырастить целую финиковую пальму, да еще чтобы финики росли на этом чудо-дереве уже высушенные и разложенные в аккуратные деревянные упаковочки.

— Вы не думайте, я ни одного раза не поверила, будто это правда.

— Слышала-то от кого? — настаивала Алена.

— Говорила всю эту галиматью у нас одна женщина. Ваша знакомая.

— Тетка Вера, так ведь?

— Да, она.

— И когда ты услышала эти сплетни впервые?

— Ну... около недели назад... вроде того.

— Неделя!

— Простите, Алена Игоревна, я не хотела даже слушать, что эта баба про вас плетет. Но она продолжала со всеми клиентами шушукаться! Я попыталась поговорить с ней, чтобы она не болтала про вас ерунды, а то я вам пожалуюсь. Вроде бы она притихла. Но я все равно замечала, что она время от времени о чем-то шушукается с другими посетительницами и с персоналом.

— И что же ты не пришла ко мне? Не рассказала, что про меня такие гадости говорят?

— Я... я побоялась. Побоялась вас расстроить. И потом... Ну, это же явная нелепица, кто в такое может поверить?

— Боюсь, что очень многие.

— Только не я! — пылко воскликнула Таня. — И все те, кто вас хорошо знает, сразу скажут, что это — грязные враки.

— Спасибо тебе, — расчувствовалась Алена. — Это действительно грязные враки!

Но в душе у нее кипело возмущение. Противная тетка Вера, ну погоди же ты! Оказывается, эта гадина начала распускать про Алену грязные сплетни еще до того, как получила отказ на просьбу дать Арине денег на образование.

— И правильно, что я ей отказала! Я-то думала, что она, только обозлившись, начала меня грязью поливать. А она это загодя уже начала делать, еще даже не зная, дам я ей денег или не дам. А вдруг бы я дала? Вот бы тетка Вера надо мной потом бы потешалась!

И душу Алены заполнила самая черная и мстительная злоба. Если бы сейчас тетка Вера оказалась бы у нее под рукой, наверное, Алена уж высказала бы ей все, что думает о ней самой и ее жизни, на которую она вечно жалуется.

Но тетки Веры рядом не было. И где она была, непонятно. Поэтому Алена приступила наконец к разговору о том, что ей действительно было важно узнать и зачем она сюда явилась.

— Танюша, у меня к тебе не совсем обычная просьба, — начала Алена, замявшись на мгновение.

— Я слушаю.

— У вас тут лечилась женщина по фамилии Зыкова.

— Помню такую, — тут же кивнула головой Таня. — Анастасия Сергеевна.

— Ты даже ее имя и отчество помнишь? — удивилась Алена.

— А я почти всех посетителей запоминаю. Особенно тех, что колоритные или живут у нас долго. Я ведь на полставки еще и в пансионате на стойке администрации дежурю. Мне это несложно, почти всех посетителей я по водолечебнице знаю. А почему вы сказали о Зыковой, что она у нас лечилась? Почему в прошедшем времени? Она еще не выписывалась. Правда, сегодня я ее не видела, но...

— И не увидишь, — заверила ее Алена. — Не увидишь, разве что в морг на опознание привезут. Или на кладбище придешь попрощаться.

— Вы что хотите сказать?..

Ротик у Тани приоткрылся, а в глазах появилось удивление и немножко испуг:

— Она что, умерла?

— Хуже. Ее убили.

Испуг увеличился. И Таня едва слышно протянула:

— Где? Как это произошло?

— Неподалеку от «Дубочков» ее тело нашли. Сегодня утром. Больше я подробностей никаких не знаю, извини.

— Но это... это точно она?

— При ней, как я понимаю, были документы. Паспорт, наверное. По нему и установили так быстро ее личность.

— Странно, — покачала головой Таня. — Зачем ей было тащить с собой паспорт?

— Мало ли зачем? Многие в сумке паспорт таскают. На всякий случай. Может, она не доверяла нашим замкам, вот и таскала сумку с документами и деньгами с собой.

— Но у нас в пансионате в каждом номере есть оборудованный сейф для хранения ценных вещей. А если вещь очень уж большая, в сейф в номере не влезает, то ее можно и на стойке в специальное хранилище сдать.

— Ну а эта тетка, наверное, и сейфам, и хранилищам не доверяла. Встречаются ведь такие.

— Да, если говорить честно, то эту Зыкову нельзя было назвать приятной постоялицей. Вечно она была в претензиях, вечно нас в чем-то упрекала. Постоянно сравнивала сервис у нас и в пятизвездочных отелях, где ей якобы довелось побывать.

— Странно, и что же ее после фешенебельных курортов потянуло к нам в «Дубочки»? У нас-то, откровенно говоря, все очень по-простому.

— Так ведь это даже и лучше! — горячо воскликнула Таня. — На курорты единицы могут позволить себе поехать, а у нас цены благодаря Василию Петровичу такие демократичные, что к нам все и едут. Да и сама Зыкова у нас то ли в пятый, то ли в четвертый раз отдыхает.

— И каждый раз ругает?

— Да! Я и то уже начала улыбаться ей. Что же, говорю, вы тогда к нам каждый год снова приезжаете?

— И что же она сказала?

— А ничего. Промолчала. Я слышала, что она была замужем, да развелась неудачно. Ничего ей у муженька отсудить не удалось. И осталась она на старости лет без профессии и без денег. Той суммы, что ей выплачивает супруг, едва хватает на отдых в «Дубочках». Но тетка из тех, кто надежды не теряет, она и у нас пыталась присмотреть себе кандидата.

— И как?

— Да все без толку, — вздохнула Таня. — За все это время, что она к нам в «Дубочки» приезжает, никто с ней всерьез строить отношения не стал. Да и то сказать, мужчин у нас в пансионате бывает мало. Если кто и приезжает, то парами, а то и вовсе с семьями, с детьми, с внуками. Тут максимум легкий флирт, когда мужчина, случается, подвыпьет. Да и то, придет жена — он мигом к ней. Про свою случайную пассию и думать боится, мимо ходить избегает. Но, как я вам уже говорила, надежды тетка не теряла. А как клуб у нас в «Дубочках» открылся, так она там все вечера напролет просиживала. Говорят, ко всем мужикам подряд цеплялась.

— Таня, ты просто молодец, — похвалила сотрудницу Алена. — Так много можешь о ней рассказать!

— Специально не приглядывалась, но она все время перед глазами мелькала. И вот что интересно: она так до мужчин была охоча, и как раз в последнее время у нее появился кто-то серьезный.

Эта фраза невольно привлекла внимание Алены. Что-то у всех в последнее время кто-то появляется. У Наташки — кавалер. У Натальи Кирилловны — кавалер. У Арины и помимо Вани тоже какой-то кавалер, или с кем она там дурила Ваню. И теперь вот даже у Зыковой этой, как выясняется, кто-то появился. Какое-то неясное чувство тревоги царапнуло Алену. Ей на мгновение показалось, что за этой чередой счастливых влюбленных женщин может стоять какое-то указание свыше ей самой.

Если Алена задумалась о своем, то и Танюша замерла, думая тоже о чем-то. Алене даже пришлось ее поторопить:

— И что же эта Зыкова и ее кавалер?

— Он не из наших, — произнесла Таня, все еще витая мыслями где-то в другом месте. — То есть живет он не в «Дубочках» и в пансионате не лечится. Во всяком случае, вместе я их никогда не видела.

— Не видела? Тогда откуда же ты знаешь, что у Зыковой кто-то был?

— Так с ее слов.

— А где же Зыкова с ним познакомилась? В клубе?

— Может, и в клубе. Хотя мне кажется, что через вашу тетку.

— А при чем тут тетя Вера? — удивилась Алена.

— Так дружили они. Лучшие приятельницы, каких я только видывала.

— Не поняла, — еще больше удивилась Алена. — Они что, были хорошо знакомы? Зыкова и тетя Вера?

— Я бы сказала, очень хорошо! И давно.

— Нс похоже, что они тут у нас встретились?

— Нет, мне кажется, когда они встретились в водолечебнице, они уже хорошо знали друг друга. Эта Зыкова сразу же к вашей тете подбежала, поцеловала ее и начала всякими комплиментами забрасывать. Про дочь спросила. Может, они где-то в другом месте виделись? Хотя мне показалось, что они вообще старые приятельницы.

Алена похолодела. Если погибшая была подругой тетки Веры, то теперь тетка Вера им с мамой и вовсе житья не даст. До последнего вздоха будет поминать, как у Алены в поместье погибла при невыясненных обстоятельствах ее подруга. И так как фантазии тетке Вере было не занимать, то впоследствии могло так случиться, что она станет рассказывать всем желающим, что это Алена с Василием Петровичем прикончили несчастную. Ни за что, а просто из желания насолить самой тетке Вере.

— А Зыкова в этот раз жила у нас целый месяц. Ваша тетя приехала чуть позднее.

— И кавалер этот у Зыковой появился после приезда тети Веры?

— Да. И мне кажется, что ваша тетя тоже знала этого человека. Они с Зыковой так оживленно его обсуждали. Даже делились кое-какими анатомическими подробностями.

— Даже так? — изумилась Алена.

Она-то привыкла считать тетку Веру старой девой и синим чулком. Потому что даже рождение Арины не могло изменить этого. Тетка Вера терпеть не могла мужчин, один их вид вызывал у нее отвращение. Она признавала только один вид брака — брак по расчету, когда в результате можно получить неплохой куш. Ради этого тетка Вера согласна была бы выйти замуж, но вот только желающих ей этот куш предложить что-то не находилось. Богатые женихи не встречались, а с бедными тетка Вера и сама не желала общаться. Да еще ее любимая фраза в общении с кавалерами была такова: «Интим только после ЗАГСа!»

Иногда это звучало так категорично, что отпугивало даже возможных кандидатов. Согласитесь, не очень-то приятно, когда на первом же свидании тебе прямо в лицо говорят, что интим между вами возможен только после штампа в паспорте. И не важно, тянет вас к этому человеку или нет, интим все равно только после брака и только в виде отдельно оплачиваемой услуги. Хочешь секс — подари колечко или шубку. Впрочем, подарочный сертификат в СПА тоже подойдет.

Многие женщины действуют подобным образом, но они умеют завуалировать свои требования хоть какой-то лаской и игривостью. Тетка Вера же действовала напрямик, рубила грубо, с плеча. И вообще, в ней было очень много мужского, несмотря на ее привычку жаловаться всем и на все, лить слезы и обижаться по любой причине чуть ли не насмерть или уж точно на долгие года.

В общем, характер у тетки Веры был такой непростой, что Алена до сих пор подозревала, что в ее жизни был всего один мужчина — Аринин папаша. Все остальные просто не решились подобраться достаточно близко к этой церберше. Да и Аришин папа удрал от тетки Веры после почти что полугодового воздержания, в котором он пребывал, и отказа от какой бы то ни было надежды на возможный секс, разве что ради рождения следующего малыша, которого она в ближайшие несколько лет вряд ли захочет. Многолетнее ожидание возможности супружеского секса заставило мужчину обратить взгляд в другую сторону. Ждать так долго он был не в состоянии, и очень скоро тетка Вера, к ее немалому изумлению, стала разведенной женщиной.

После развода Аришин папаша повел себя подобно очень многим отцам на его месте. Он попросту забыл о том, что у него есть ребенок. Конечно, он высылал Арише положенные законом алименты, но при первой же возможности перестал это делать. Тетка Вера подала на него в суд, затем на лишение его отцовства, муженек периодически вяло возмущался ее подлостью, но особенно в восстановлении своих родительских прав не усердствовал. Иногда, правда, у него просыпалась совесть, и он появлялся перед праздниками с шикарными подарками, но к ребенку не подходил и деньги или подарки старался передать тетке Вере, а не самой Арише, которая выросла при живом отце практически наполовину сиротой.

Это поведение отца в отношении дочери, ясное дело, не добавило тетке Вере любви к мужчинам. Она не желала признавать, что бывают и другие мужчины — нежные, ласковые, любящие и верные, она считала, что мужчины — это просто скоты, которым нужен от женщин только секс, и когда они его получают, то наглеют, награждают бедных женщин детьми, которых предоставляют им тащить одним.

Даже мама Алены пыталась втолковать Вере, как много она упускает, отрицая секс как одно из удовольствий в этой жизни.

— Ты пойми: любой брак — это в первую очередь секс. Если нет секса, нет и самого факта брачного сожительства. Если брачные отношения не были скреплены постелью, брак во все времена считался недействительным.

Бесполезно. Тетка Вера не желала ничего слушать. И прожила до очень зрелого возраста практически девственницей. Во всяком случае, такова была официальная версия жизни тети Веры, озвученная Алене. И вот теперь выяснялось, что у тетки Веры были какие-то мужчины, анатомию которых она могла обсудить с какой-то другой женщиной.

— Очень странно, — пробормотала Алена. — Тетка Вера — и какой-то мужчина? Кто бы это мог быть?

— Вот чего не знаю, того не знаю, — отозвалась Таня. — Имени этого человека я не слышала.

— А еще кто-нибудь с этими бабами общался?

— Ну, вообще-то да.

— И кто?

— Наташа.

— Твоя сменщица?

— Она самая. Уж не знаю почему, но с ней эти тетки были неизменно любезны и ласковы. Если мне не изменяет память, они обе даже старались с ней подружиться.

— С Наташей? Две эти старые грымзы?

— Как вы это точно подметили! — захихикала Таня. — Грымзы и есть!

Но, тут же вспомнив, что одной из этих «грымз» больше нет на свете, устыдилась и замолчала. Алена тоже замолчала. Она чувствовала, что визита к Наташе ей будет не избежать. От этой перспективы настроение у Алены стало стремительно портиться. Общение с Наташей давалось ей с большим трудом. Ей все время казалось, что за маской этакой дурочки имеется отнюдь неглупый мозг. Вот только включается он хитро, лишь в тот момент, когда выгода от такого включения несомненна.

Глава 7

По прошествии совсем недолгого времени Алена стояла перед домом, в котором жила Наташа со своей матерью. Если у девушки выходной, то она должна быть дома. Но сколько ни звонила Алена в дверь, никто ей не открыл.

— Где же девчонка?

Хотя ведь Таня упоминала, что у Наташи появился кавалер. Может быть, она сейчас с ним? И решив, что наведается к Наташе чуть позднее или позвонит ей, Алена отправилась домой. Она пришла как раз в тот момент, когда ей по скайпу звонила Инга.

— Выезжаю завтра утром, но одна, — сказала она подруге. — Как у вас дела?

— Плохо. Все еще хуже, чем мне представлялось. Погибшая оказалась приятельницей тети Веры.

— В самом деле? Значит, твоя мама тоже с ней знакома?

Это заставило мысли Алены двинуться в новом направлении. Попрощавшись с Ингой, пообещав лично встретить подругу, она позвонила маме и сообщила две неприятные новости.

— Только убийства накануне выборов нам и не хватало, — посетовала она. — Да еще знакомая тетки Веры. Кстати, ты знаешь такую?

— Зыкова... Зыкова... — задумалась мама. — А как ее зовут?

— Анастасия Сергеевна.

— Какая-то Настя в приятельницах у Веры ходила, — подтвердила мама. — Правда, я лично с ней никогда не встречалась.

— Почему?

— Ну, как-то не довелось. Вера нас одновременно никогда не звала, так что я не могу быть уверена, что это та самая Настя, о которой она мне рассказывала. Но другой Насти среди Вериных приятельниц я тоже не припомню.

— А что она тебе рассказывала?

— Ну, эта Зыкова была давнишней Вериной приятельницей, кажется, еще со школы или по училищу. Не знаю, я с Верой познакомилась уже значительно позднее. Но Вера говорила, что Настя ей всем в жизни обязана, потому что в свое время Вера устроила ее судьбу — нашла ей отличного мужа.

— Муж у Зыковой и впрямь был богатый?

— Бизнес у него был, какой не знаю. Если честно, то я про эту Настю услышала, когда она была уже в разводе.

— И почему она развелась с мужем, ты не знаешь?

— Ну почему люди иногда разводятся? Когда мужику стукнуло сорок с хвостиком, он вдруг решил уйти от старой проверенной жены и женился на какой-то молоденькой профурсетке. Жене же он купил скромную однокомнатную квартиру и стал выплачивать небольшое денежное пособие. Плюс Настя сдавала родительскую квартиру, на эти деньги и жила. Развод не отбил у нее охоты встречаться с мужчинами, и Настя очень активно занималась поисками нового мужа.

— Похоже, что это та самая Настя и есть, — вздохнула Алена.

— И что? Ее убили?

— Да.

— Как ужасно!

— Но полиция расследует это дело.

— Очень надеюсь, что они найдут преступника. А как там Верочка? Надеюсь, она не слишком переживает?

— Трудно сказать, — уклонилась от прямого ответа Алена, которая так и не набралась храбрости поведать матери о том, что ее муж фактически выставил из их дома ее подругу вместе с дочерью, да еще сделал это среди ночи, и ушли они фактически голые и босые, не забрав ничего из своих вещей.

Такого мама Василию Петровичу могла еще долго не простить. Алене же не хотелось портить отношения между мамой и мужем, да еще делать это по милости вредной тетки Веры. Будь ее воля, так хоть бы тетка Вера и вовсе провалилась сквозь землю и ее вещи отправились следом за хозяйкой!

Впрочем, совсем бесхозными вещи тетки Веры и ее дочери все же не остались. Чуть позднее в усадьбу прибыл молоденький курьер, который сообщил о том, что он должен забрать вещи тети Веры и Арины по их личному поручению.

— А где же они сами? — удивилась Алена.

— Мне приказали этого вам не говорить.

— Вот как? Это такая тайна?

Алена обольстительно улыбнулась, одновременно доставая бумажку, при виде которой курьер мигом растерял всю свою солидность. Алена еще раз улыбнулась, и парнишка рассказал, что вещи ему поручено доставить в дом господина Никитина.

Услышанное очень удивило Алену. Она была готова услышать, что тетка Вера и Арина отправились домой на поезде, хотя и не понимала, как они могли добраться до станции, разве что пешком? Она также была готова предположить, что женщины отправились в ближайший город, где взяли тайм-аут в гостинице в ожидании извинений со стороны Алены. Но тот факт, что они сменили хозяев, переселившись из «Дубочков» под крышу господина Никитина, стало для Алены полнейшей неожиданностью.

Ведь Никитин Антон Борисович был самым грозным оппонентом Алениного мужа на предстоящих выборах. У них двоих было почти поровну голосов. Но преимущество Никитина было в том, что он уже имел опыт в политической борьбе, в то время как Василий Петрович был в этом деле новичком. И все же

Алена полагала, что у ее мужа есть все шансы победить, если только борьба будет честной.

— Но там, где появляется тетка Вера, о честности можно забыть.

Кроме того, Алена имела возможность пообщаться с господином Никитиным и могла сказать, что этот человек никогда и ничего не делает просто так.

— Он надеется извлечь выгоду из того, что тетка Вера и Арина поселились у него в доме. Но какую?

Об этом Алене оставалось лишь догадываться, но она чувствовала, что эта ситуация не к добру.

— Скорее бы Инга приехала, — вздохнула она. — По крайней мере на нее я всегда могу положиться.

Но до приезда подруги было еще далеко. А проблемы необходимо было решать быстро. Убийство Зыковой не давало покоя Алене. Кто мог убить эту женщину? И за что? И самое главное, зачем ее тело перенесли в кровать тетки Веры?

— Кто у нас в «Дубочках» способен на такое зверство?

Ваня сказал, что преступник, доставивший тело покойной женщины к ним в усадьбу, в хозяйский дом, был человеком недюжинной силы, высокого роста и крепкого телосложения. Таких мужчин в поместье было несколько десятков, но, перебрав в уме их всех, Алена так и не смогла понять, зачем кому-то из них понадобилось убивать отдыхающую женщину.

Вечером снова позвонил Ваня. У него были новости из полиции. Осмотр тела полицейскими экспертами дал однозначный ответ на вопрос, не подвергалась ли покойная сексуальному насилию.

— Никто ее не насиловал.

— Хотя, бедняжка, наверное, не стала бы особенно сопротивляться, — печально улыбнулась Алена. — Говорят, она была сама не своя до мужчин.

— Серьезно? В ее-то возрасте?

— Ты сам уже не мальчик, — возразила ему Алена, — но скажи по совести, разве тебя это останавливает?

Алена ожидала, что Ваня польщенно засмеется и расскажет, как это обычно у них случалось, о своей очередной подружке или даже подружках. Но Ваня, к ее удивлению, тяжело вздохнул и произнес совсем другое:

— Инга все-таки приезжает?

— Да, завтра поздно вечером.

— Я ее встречу.

— Не возражаю. Кстати, если тебе интересно, то твоя Арина поселилась у Никитина дома.

— Что?

— Что слышал. И ее мать тоже.

— Ни за что в такое не поверю! Ну Арина еще куда ни шло. Она девка симпатичная, хоть и врушка. Но ее мамаша... Зачем она понадобилась Никитину?

— Вот и я о том же самом думаю — зачем?

О причине столь тесной дружбы господина Никитина с теткой Верой и Ариной всем стало известно уже на следующее утро, когда в спальню к хозяевам влетела Наталья Кирилловна. Влетела без спроса, едва постучавшись. Это было грубейшим нарушением всех правил приличия, но еще более удивительным был внешний вид женщины. Обычно аккуратно причесанная и одетая, сейчас она производила впечатление веселой ведьмочки, вернувшейся с шабаша. Волосы распущены, накрашен только один глаз, а помада на губах лежит неровно. Да и одета Наталья Кирилловна была кое-как. Блузка застегнута лишь на верхнюю и среднюю пуговки, юбка сидит косо, а ноги и вовсе были босыми.

Вид Натальи Кирилловны говорил о том, что она находится в состоянии крайнего волнения. И скоро Алене стала ясна причина этого.

— Вы видели? — воскликнула Наталья Кирилловна. — Вы слышали?

— О чем вы?

— Эти гадины дали интервью местному телевидению. Уверена, что эта передача была целиком и полностью спонсирована кем-то из наших конкурентов.

— Какое интервью?

Вместо ответа Наталья Кирилловна схватила без спроса пульт и включила телевизор. Покопавшись в настройках, она нашла нужную и нажала на воспроизведение записи.

— Вот! Слушайте! И смотрите!

Василий Петрович и Алена послушно уставились на экран, где увидели одного из местных ведущих, весьма популярную личность, славящуюся своим злым языком и неумеренными остротами в адрес всех и вся. Сейчас этот типчик сидел в обществе двух женщин.

— Это же Арина! И тетя Вера!

— Вы послушайте, послушайте, что говорят про вас эти гадины!

Алена прислушалась и поняла, что тетка Вера с экрана поливает грязью ее и мужа, да еще так, что буквально уши вянут.

— Я очень хорошо и близко знаю этих людей. Моя дочь практически выросла вместе с Аленой.

— Вы имеете в виду Алену Игоревну — супругу нашего рвущегося к власти новичка?

— Ее самую. И я хочу сказать, что они с муженьком — два сапога пара. Оба от жадности и спеси уже людей не видят. Алена каждый год по два, а то и три раза катается в Европу, скупает там все магазины. И ей губернаторство мужа нужно лишь для того, чтобы делать это еще чаще. Она сама говорила мне, как ждет победы мужа на предстоящих выборах. Еще бы, ведь тогда она сможет вообще ни в чем себе не отказывать!

— Но Василий Петрович очень много тратит на благотворительность. Этого мы никак не можем отрицать.

— Все вранье! Он дает деньги подставным лицам, которые ему их затем возвращают. Естественно, они получают свои комиссионные, но это минимальный убыток, который к тому же помогает вашему замечательному Василию Петровичу уйти от уплаты налогов и тем самым вернуть себе потраченные деньги сторицей.

Алена слушала и не верила своим ушам. А тетка Вера все не унималась:

— Василий Петрович, которого вы тут так нахваливаете, на самом деле имеет преступное прошлое. Да и сейчас он не отошел от криминала.

— Боже, что она плетет? — прошептала Алена. — Это же какая-то невероятная ерунда! Бред умалишенной.

— А мне кажется, что твоя тетя Вера очень убедительна. Она даже меня почти убедила в том, какой я плохой.

Тетка Вера продолжала вещать дальше. Не обошлось и без упоминания об убитой Зыковой.

— Это была моя близкая подруга. По моему совету она приехала в «Дубочки», чтобы подлечить свое здоровье. И ее убили. А за день до смерти она призналась мне в том, что в ее жизни появился мужчина. Что он очень богат и влиятелен, но, к сожалению, женат.

— Так обычно и бывает, — поддакнул ей ведущий.

— И поэтому они должны были держать свои отношения в тайне.

— Разумная мера предосторожности.

— Но мне подруга призналась в том, кто является ее возлюбленным. И я уверена, что ее убийство не что иное как попытка вашего замечательного будущего губернатора скрыть свой роман от законной жены!

Студия ахнула. И даже видавший виды ведущий слегка оторопел.

— Вы обвиняете Василия Петровича в убийстве вашей подруги? — пробормотал он, снова придя в себя.

— Я всего лишь констатирую факты. Моя подруга встречалась с этим человеком, она даже провела с ним весь вечер накануне своей смерти, возможно, что и ночью она тоже была с ним. И уже следующим утром мы все узнали, что она мертва.

Алена молча повернулась в сторону своего мужа.

— Вася?.. Это что такое она говорит?

— Я не знаю.

Вид у Василия Петровича был злой и несчастный.

— Вася, почему она упрекает тебя в связи с Зыковой?

— Понятия не имею.

— Ты встречался с этой женщиной?

— Может быть... Я не помню. Где-нибудь в общественном месте мы могли с ней пересечься. В конце концов, наши «Дубочки» совсем не так уж велики.

— А наедине ты с ней виделся?

— Алена!.. Замолчи!

— Нет уж, позволь, Вася! — возмутилась Алена. — Я хочу обсудить эту тему.

— Позволь тогда спросить тебя саму: ты сошла с ума? Зачем мне нужна эта престарелая красотка с ее высохшими прелестями?

Но Алена услышала в словах мужа не лестную похвалу, а кое-что совсем другое.

— Значит, ты все-таки ее помнишь, раз знаешь, как она выглядела!

Василий Петрович помрачнел еще больше. Он вскочил с кровати, ничуть не стесняясь присутствия в их спальне Натальи Кирилловны и того, что сам он был в пижаме.

— Мне надо идти. Я не могу оставить этого просто так!

Алена пыталась поговорить с мужем, но Василий Петрович так быстро собирался, что ей никак не удавалось вклиниться между натягиванием брюк и поиском подходящей рубашки. Наталья Кирилловна уже давно была выдворена из спальни, но дела это не изменило. Даже наедине с женой Василий Петрович не желал признаться в том, что же связывало его с покойной Зыковой.

Впрочем, убегая из дома, Василий Петрович все же взял жену за подбородок и, глядя ей прямо в глаза, сказал:

— Аленушка, я хочу, чтобы ты знала: я с этой женщиной не встречался в том плане, в каком ты это подразумеваешь. Я люблю только тебя, и я верен тебе.

Это немного приободрило Алену, но все равно она чувствовала, что муж не до конца откровенен с ней.

Не успел уйти Василий Петрович, как Алене позвонила Таня.

— У меня плохие новости, — озабоченно произнесла она.

— Да, я уже смотрела телевизор.

— При чем тут телевизор? Наташа пропала.

— Как это пропала?

— А вот так... Она не ночевала сегодня ночью дома. Утром тоже не появилась. Ее мать говорит, что и днем дочери тоже не было дома: когда она вернулась с работы, дом был закрыт, а Наташи не было.

— Правильно, я приходила к Наташе вчера сразу же после тебя, хотела с ней поговорить, но мне никто не открыл.

— Вот и теперь Екатерина Павловна требует, чтобы мы начали поиски ее дочери. Дескать, девочка не могла вот так взять и исчезнуть, ничего ей не сказав. С ней что-то случилось.

— Но ведь Наташа молода... К тому же, как ты говорила, у нее появился возлюбленный.

— Может и так, но ее мать в панике. Телефон у Наташи выключен. Записки, куда отправилась, девушка не оставила. В общем, мать не находит себе места. А когда Екатерина Павловна в таком состоянии, то работать она, ясное дело, не может.

Помолчав, Таня предупредила:

— Если мы не найдем Наташу, то понесем большие убытки, потому что в народе Екатерина Павловна слывет почти что волшебницей. В очередь к ней записываются за месяцы. Но Наташу свою она любит пуще жизни. Пока Наташа не найдется, Екатерина Павловна — не работник.

— Конечно, надо найти девочку, — согласилась Алена. — И вовсе не из-за каких-то там убытков. Я сейчас же позвоню Ване, предупрежу, что у нас новое ЧП.

Однако Ваня серьезности момента не учел, а просто отмахнулся:

— Подумаешь, девка дома не ночевала. Какая беда? Вернется.

— Но она не просто загуляла. У нее и телефон выключен.

— Ну и что? Аккумулятор сел, а зарядить негде. Зарядку дома забыла.

— Мы не в лесу живем. Тут у всех телефоны. Любой даст позвонить, если нужно.

— И что вы от меня хотите? Чтобы я позвал ребят и мы обыскали все «Дубочки»?

— И окрестности, — сказала Алена.

Ваня в ответ фыркнул, но противоречить хозяйке не осмелился.

— Будь по-вашему, — произнес он. — Но если окажется, что девчонка просто загуляла и осталась у своего парня, то вы лично будете объясняться с ребятами.

— Ладно, не ворчи, словно старый дед. Лучше скажи, есть какие-нибудь новости по поводу убийства Зыковой?

— Ребята из полиции сделали запрос по месту ее жительства. Если у покойной есть родственники или просто близкие люди, то им скоро сообщат о случившемся. Так что ждем.

— Сегодня утром по телевизору тетка Вера фактически обвинила Василия Петровича в убийстве Зыковой.

— Слышал. Вот старая дрянь! — выругался Ваня.

— Помимо прочего, тетка Вера сказала, что Вася провел с Зыковой вечер накануне ее убийства и даже, возможно, ночь.

— Гадина!

— Но Вася и впрямь вернулся тогда домой очень поздно.

— Уж не думаете ли вы, что Василий Петрович способен на убийство?

— Нет, я так, конечно, не думаю, — отозвалась Алена. — Но мне все же хотелось бы знать, как и с кем мой муж провел тот вечер.

— Я постараюсь это узнать для вас.

— А так не знаешь?

— Нет.

Алене показалось, что Ваня слегка замялся прежде, чем дать ей этот ответ. И она переспросила у него:

— Точно не знаешь?

— Ничего не знаю.

— Ну тогда не трудись. Я сама выясню, что Вася делал тем вечером.

— Сами... — Голос Вани казался растерянным. — Как же сами-то?..

— А вот так!

— А мне чем тогда заняться?

— А ты ищи Наташу, — напомнила ему Алена. Ваня покорно согласился:

— Да, есть, беру ребят и ищу Наташу. А вы-то чем займетесь?

— Сначала точно выясню правду про Васю. А потом я хочу поговорить с теткой Верой. Она такого по телевизору наговорила...

— Да уж наслышан. И после всего того, что эта баба про вас наговорила, вы хотите с ней еще встретиться?

— Скажу ей, что она мерзкая лгунья. И что дорога в «Дубочки» ей отныне закрыта.

— Так она это небось и сама понимает.

— А еще она мне нужна по делу Зыковой. Раз они были такими близкими приятельницами, то пусть расскажет, кто Зыковой мог желать зла!

Однако прежде чем Алена успела предпринять этот шаг, ей позвонила мама.

— Я не спала всю ночь, из-за твоего рассказа, — сообщила она дочери. — Все думала, кто же мог убить Настю. И знаешь, что я думаю? Это мог сделать ее муж!

— Муж?

— Да. У них там после развода остались нерешенными до конца какие-то имущественные вопросы. Суд присудил все супругу, но Настя была не согласна, собиралась вторично подавать в суд, обещала, что может дойти и до Гааги.

— Думаешь, дошла бы?

— Трудно сказать, но настойчивости ей было не занимать. Ведь это где такое видано у нас в стране, чтобы муж после развода выплачивал старой жене весьма приличное содержание.

— Бывает и такое.

— Лично я ни о чем подобном не слышала, — отрезала мама. — И я точно знаю, что это содержание Настя выбивала из своего супруга почти год. Он не хотел платить, а Настя оформила себе через знакомых врачей фальшивую инвалидность, вот и пришлось супругу раскошелиться. Раз суд признал Настю недееспособной, значит, муж был обязан содержать ее до конца дней.

— Или до того момента, пока она не перестанет быть инвалидом.

— Тогда остается вариант с пенсией по старости. В общем, Настя поклялась, что спокойно жить своему супругу не даст. Не будет он наслаждаться жизнью, так она сказала.

Алена слушала и мотала на ус. Если эта Зыкова была хотя бы вполовину такая стервозина, как тетка Вера, то ее супруга можно было только пожалеть. Зыкова не успокоилась бы до тех пор, пока не содрала с мужика все, что только возможно. Сама тетка Вера неоднократно переживала вслух по поводу того, что по наивности выскочила замуж за человека, с которого и взять-то оказалось нечего. Квартира была родительской. Дача принадлежала бабушке. Машина и та принадлежала брату. Так что тетке Вере не пришлось поживиться при разводе.

Но зато она не растерялась и лишила муженька отцовства. После чего оформила себе все документы как одинокой матери и долгие годы трясла с государства все пособия и льготы, какие только были возможны. Да что там говорить, тетке Вере удалось простоять на учете на бирже труда целых пять лет и все эти пять лет получать приличное пособие, лишь перемежая периоды безделья короткими рабочими перерывами, ни один из которых не длился больше месяца, да и то половину этого времени тетка Вера сидела на больничном по уходу за ребенком. Каким образом никогда не болеющая Ариша умудрялась добывать для своей матери больничные, оставалось только удивляться. Видимо, и тут не обошлось дело без сердобольной знакомой докторицы, всегда готовой выписать фальшивый больничный и немного помочь бедной, одинокой и такой несчастной тетке Вере.

— А как фамилия бывшего мужа Зыковой? Тоже Зыков?

— Нет, не думаю. Если бы это была его фамилия, то Настя бы первым делом сменила бы ее.

— А еще кто-то мог желать этой женщине зла?

— Мне на ум пришел только ее бывший супруг.

Что же, Алена не поленилась и сообщила эту версию Ване, чтобы тот довел ее до сведения полиции. Ваня пообещал, что все сделает, но голос его звучал озабоченно. Он с ребятами выдвигался на поиски пропавшей Наташи, и сейчас мужчины разрабатывали план ее поисков.

— Взяли пса из нашего питомника. Может, собаке удастся взять след.

— А кого взяли?

— Чара.

Чар был умнейшим псом породы дратхаар. Если Василий Петрович брал на охоту Чара, то можно было не сомневаться: без богатой добычи они не вернутся. Неудивительно, что со временем Василию Петровичу пришла в голову мысль получить от Чара потомство. И теперь Чар наслаждался вниманием сразу пяти подруг, каждая из которых регулярно приносила ему многочисленное потомство, уже с младых ногтей демонстрирующее редкостные охотничьи навыки.

— Ну, давайте, удачи вам.

И тут же ей позвонил муж.

— Если хочешь, поедем вместе в «Никитское».

Предложение мужа, откровенно говоря, удивило Алену. Обычно Василий Петрович проводил свои дни в трудах и заботах, но отдельно от жены. Виделись супруги лишь вечером дома. Алена и забыла, когда они куда-нибудь выбирались вдвоем, а тут вдруг такое щедрое предложение и как раз кстати. Ей бы радоваться, но Алена насторожилась. Ей показалось, что Ваня рассказал Василию Петровичу о ее намерении выяснить правду о том, как муж провел злополучный вечер. И теперь Вася сделал упреждающий ход.

Но, так как намерения самой Алены совпадали с предложением мужа, пусть и не в том порядке, в каком она хотела, Алена все же согласилась.

— Хорошо, поедем.

А про себя подумала: «То, что ты делал тем вечером, я могу выяснить в любой момент и потом».

«Никитское» — так называлось имение господина Никитина, которое он заложил еще лет двадцать назад. Несмотря на то что «Никитское» было старше «Дубочков», оно не процветало и на десятую долю так, как процветало поместье Василия Петровича. И это был очередной повод для зависти со стороны Никитина. Другим поводом для неприязненного отношения к Василию Петровичу было то, что на выборах владелец «Дубочков» сначала догнал, а потом и начал перегонять своего оппонента.

Алена полагала, что, когда отрыв стал увеличиваться, нервы у Никитина не выдержали, и он затеял грязную игру с привлечением тетки Веры и даже Арины.

— У меня давно руки чешутся начистить этому гаду морду, — возмущался Василий Петрович. — Я тебе не говорил, но он уже не первый раз пытается облить меня грязью. Правда, так публично он еще не выступал.

— А он и не выступал. О нем в передаче даже не упомянули.

— Но тетка Вера живет у него, ты сама сказала.

— Да.

— Значит, она действовала по наущению Никитина или в сговоре с ним. Так что поедем, а ты будешь меня удерживать, чтобы я его не убил.

— Вася, может быть, лучше взять с собой охрану?

— Охрана — это само собой разумеется. Но охрана меня не удержит, если что. А вот ты удержишь.

Алене было очень лестно это слышать, но все же ее тревожила задуманная мужем вылазка в стан врага. Одно дело, когда туда собиралась сама Алена, за свою выдержку она могла бы поручиться. И совсем другое, когда в бой рвется Василий Петрович. Как бы не было еще большей беды.

— Хорошо, я поеду с тобой.

И Алена начала собираться в поездку. Ну и денек выдался сегодня, только успевай и поворачивайся. И еще вечером предстоит встретить Ингу. Не забыть бы о ней со всей этой кутерьмой!

Глава 8

Что касается Инги, то она в это время уже ехала в поезде, искренне радуясь смене обстановки. Пусть в имении у Алены и ее мужа, как они говорят, неладно, но зато и скучать ей там тоже не придется. Скука — это отныне удел Залесного, которого она оставила дома одного и сделала это без всякой жалости.

— Пусть поживет без меня! — сердито бормотала себе под нос Инга. — Пусть! Он меня еще оценит! Он еще заплачет!

Сама же она была полна мстительных замыслов вовсе не возвращаться к Залесному. Или затянуть свое возвращение к нему на как можно больший срок.

— А то вконец обнаглел! Ну работа — это я еще понимаю, надо, никуда не денешься. После работы с коллегами кружечку пива пропустить — это я еще тоже принимаю и понимаю. Хотя при состоянии его почек пиво — это далеко не тот напиток, что ему надо пить. В выходные с друзьями, ладно, пусть. Но когда этот товарищ еще и вторые выходные подряд провел с друзьями, а не со мной, все... баста!

Надо сказать, что Инга была человек терпеливый. И она несколько раз пыталась Игоря вразумить, что так нельзя, что это нечестно в первую очередь по отношению к ней. Ведь если бы она хотела проводить выходные одна, то вполне могла бы так и делать без всякого Игоря. Но если уж она обслуживает это по-мужски неуклюжее существо, то будьте добры, дорогое существо, развлекайте даму хотя бы в выходные дни! А иначе зачем даме все это счастье в виде грязных носков, рубашек и тарелок?

Залесный в ответ возмущался: в его представлении стирка, глажка и готовка являлись своего рода призом для Инги, которая этот приз почему-то совсем не ценила, чем бесконечно огорчала Залесного. Но Инга не считала, что эти занятия могут послужить достойной компенсацией за испорченные выходные. Корячиться и чистить в одиночку квартиру, потому что уборкой Залесный тоже себя не особенно утруждал, а был он при этом не слишком-то аккуратным товарищем, — это было совсем не то, чем бы ей хотелось заняться в уик-энд.

Обычно Залесному удавалось как-то сглаживать недовольство подруги, чередуя дни черные с днями белыми, когда он был мягкий, нежный и пушистый вроде интерактивного зверька ферби. Но тут так совпало, что Залесный и на работе задерживался, и друзья к нему какие-то подвалили, с которыми просто нельзя было не увидеться, а потом и еще одни, и терпение у Инги попросту лопнуло.

— Почему мне нельзя на эти ваши мужские посиделки?

— Милая, о чем ты говоришь? Ты же там будешь единственной женщиной, тебе будет скучно.

— Не будет. Найду, о чем поговорить. А в случае чего хотя бы вас послушаю.

— Но ребята при тебе не смогут расслабиться до конца. Нам будет некомфортно. Ты будешь нас смущать.

Это вроде бы невинное замечание стало критическим. Подскочив на месте, словно капля воды, упавшая на раскаленную сковороду, Инга зашипела:

— Так, значит, ты меня стесняешься!

И напрасно Залесный пытался что-то возразить и оправдаться: разобиженная Инга не захотела ничего слышать. А узнав, что друзья уезжают и в следующие выходные опять назначено рандеву, на сей раз прощальное, твердо заявила:

— Тогда я еду в «Дубочки»! А ты можешь тут оставаться и развлекаться на полную катушку со своими друзьями. Я больше не буду смущать своим присутствием ни тебя, ни твоих замечательных дружков. Только уж будь добр и ты, не надоедай мне своими звонками!

— Что? — растерялся Залесный. — Совсем не звонить?

— Да!

— Ну и не позвоню!

Вспоминать эту ссору Инге было и смешно и грустно. Ну что они в самом деле повели себя как дети? Пора бы уже научиться прислушиваться к пожеланиям друг друга. Если Залесный хочет провести несколько выходных со своими друзьями, которых он давно не видел, что в этом такого? Единственное, что не нравилось Инге во всем этом, так это то, что она этих друзей знала лишь по фотографиям. И это не могло ее не смущать. Все-таки в семейной жизни обычно и друзья тоже общие. Но Залесный по-прежнему настаивал на определенной доле личной свободы. И это Ингу совершенно не устраивало.

— Получается, что мне выпадают все минусы семейной жизни, а Залесному достаются все плюсы. Он всегда накормлен вкусно, сытно и полезно, что при его здоровье не так уж мало. На сухомятке и готовых пельменях с котлетами он бы протянул лет на десять меньше, это любой врач может подтвердить. Ну и весь прочий уход тоже нельзя сбрасывать со счетов. А что получаю взамен я?

Инга имела право быть недовольной. После регулярных ссор с сексом у них тоже не складывалось. Оба дулись друг на друга, что не способствовало амурным отношениям. И отсутствие секса еще больше усугубляло проблему.

— В общем, пусть поживет один, без меня! Если оценит — хорошо. А если нет... что же, значит, не судьба.

Эту фразу Инга повторяла себе всю дорогу. И к тому моменту, когда впереди показалась железнодорожная станция Крапивино, Инга уже полностью чувствовала себя убежденной в том, что она выбрала единственно правильный вариант. Поведение Залесного переходило все границы, пора было остановить это безобразие.

Когда Инга увидела знакомую широкоплечую фигуру Вани, на глазах у нее даже навернулись слезы. Она выпрыгнула из вагона с непривычно громким восклицанием:

— Ванечка!

Круглолицая физиономия Вани приняла в первый момент смущенный, а затем радостный вид. Он обнял за плечи почти лежащую у него на груди Ингу.

— Вы все-таки приехали!

В голосе Вани слышалось глубокое волнение. Куда более глубокое, чем прозвучало при встрече в голосе самой Инги. Она же, отпрянув от Вани, живо произнесла:

— Я так рада, что вырвалась к вам!

Затем, устремив на Ваню внимательный взгляд, она вопросительно протянула:

— Ну... И что у вас случилось?

— По дороге расскажу, — буркнул Ваня. — Но одно могу сказать: дела у нас скверные. И чем дальше продвигаются, тем больше сгущаются тучи.

— Над кем сгущаются?

— Над всеми нами. Над «Дубочками», если говорить точно. И если совсем точно, то лично над Василием Петровичем. В него сволочи метят!

То, что Ваня озвучил свое отношение к происходящему грубым словом, неприятно поразило Ингу. Обычно Ваня в ее присутствии не выражался. И значит, дело было совсем скверным, чтобы Ваня забылся и начал ругаться при женщине. Да еще при своей любимой женщине. Потому что Инга, несмотря на долгую разлуку и Залесного, за которого почти вышла замуж, продолжала считать сердце Вани своей полной собственностью.

И надо сказать, что сам Ваня считал так же, что, впрочем, не мешало ему иметь множество романов с другими женщинами. И романов подчас весьма бурных. Но то, что эти двое чувствовали к своим партнерам, ничуть не умаляло их чувств друг к другу. И сейчас, встретившись после долгой разлуки, оба были сильно взволнованы. Инге первой удалось обуздать свои эмоции, и она внимательно стала слушать рассказ.

Ваня сначала изложил Инге первую часть истории, а затем приступил к описанию событий сегодняшнего дня.

— Василий Петрович с вашей подругой ездили сегодня к этому Никитину. Так им сказали, что хозяина нет дома. Врали!

— Откуда ты знаешь?

— А ребята потом на дерево забрались и через забор увидели, что Никитин дома. Просто струсил и к нам не вышел!

Ни сам хозяин поместья, ни тетка Вера и Арина, тоже мелькнувшие во дворе, не пожелали разговаривать с Василием Петровичем и его командой.

— И если до этого Василий Петрович еще сомневался насчет Никитина, то теперь он точно уверен — это его враг!

— Слушаю и ужасаюсь, — произнесла Инга. — Какие страсти у вас тут творятся!

— Это еще что! Это вы еще основного не знаете! Никитин нашего Василия Петровича чуть ли не сексуальным маньяком выставить захотел!

— Как это?

— А так... появился у нас в «Дубочках» мерзавец, баб убивает. Про эту Зыкову я вам уже рассказал, а сегодня мы с ребятами еще одну его жертву обнаружили.

И Ваня принялся в красках описывать, как они с псом Чаром резво пробежали сначала по «Дубочкам», а потом оказались в лесочке, примыкавшем к дому Наташи.

— Там-то он ее и подловил. И не побоялся, что увидеть смогут! Вот до чего обнаглел мерзавец!

— Погоди, а кто вторая жертва?

— Девчонка одна, в водолечебнице на приеме посетителей работала.

— Молодая?

— Ага.

— А выглядела как? На Зыкову похожа?

— День и ночь. Зыкова — тощая, а Наташа диетами себя не изнуряла. Любила вкусно покушать, ну, и на фигуре у нее это, конечно, сказывалось. И возраст не тот. И вообще... Ни капли эти две не похожи между собой. Единственное, что их объединяло, так это то, что они обе вокруг водолечебницы крутились. Наташа там работала. А Зыкова лечилась.

Но Ваня упустил из виду еще одну деталь, которая и являлась главной. Что у Зыковой, что у Наташи в последнее время появились тайные воздыхатели. И Алена, вернувшаяся ни с чем после визита к Никитину, решила разузнать об этом типе побольше.

Эту часть рассказывать пришлось уже самой Алене. Когда после обязательных поцелуев и хлопот по устройству дорогой гостьи, которые Алена не пожелала доверить горничным, а все сделала сама, подруги смогли поговорить наедине, вот что услышала Инга:

— Как только мы вернулись из «Никитского», я сразу же Васе сказала, что иду в наш клуб, дескать, Зыкова покойная там много времени проводила. Может, найду кого-нибудь, кто расскажет мне о ее последних часах.

— И что Василий Петрович?

— Побледнел, а потом все-таки признался, что, когда в тот вечер тетка Вера его разозлила, он из дома в этот самый клуб и направился. И знаешь, кто ему там компанию составил за столиком?

— Неужели Зыкова?

— В самую точку! Весь вечер она возле Васи моего паслась. Он ее по доброте душевной угощал, а она ему про жизнь свою несчастную рассказывала, как муж ее бросил. Вася говорит, что и рад был бы один посидеть, да эта баба так прочно к нему прицепилась, что и не оторвать ее было. Словно бы нарочно к нему подсела и не уходила.

— А может, и впрямь нарочно?

— Вот и я о том же думаю. Может, велел ей кто именно к Васе подсесть? Только Вася-то мой около полуночи домой двинул. Да не один пошел, шофер его на машине повез.

— А Зыкова?

— Она в клубе осталась. Сказала, что в пансионат возвращаться не будет.

— И было это около полуночи.

— Да.

— Однако уже около четырех утра Зыкова была мертвая и у вас в усадьбе?

— Да. Но этого никто не знает, кроме меня, Вани и Василия Петровича. Ну и ты теперь тоже знаешь.

— Я никому не скажу.

— Надеюсь! Однако если придерживаться фактов, то полицейские эксперты установили, что женщину убили уже около часа ночи.

— То есть почти сразу после ухода Василия Петровича?

— Но он ушел один. Она с кем-то другим вышла.

— А с кем?

— В том-то и дело! Полиция в клубе устроила допрос завсегдатаям и работникам, но никто не заметил, с кем Зыкова удалилась в тот вечер. Говорят, что помимо Василия Петровича ее еще видели в обществе какого-то высокого мужчины с усами. Но кто он такой, никто не знает.

— Хорошо, что у Василия Петровича есть алиби. Шофер, если понадобится, подтвердит, что Вася один домой уехал.

— Шофер-то подтвердил, да только сдается мне, полицейские не очень-то ему поверили.

По словам Алены, полиция сегодня много времени провела в «Дубочках». Искали свидетелей, кто мог бы подсказать им, с кем же в роковую ночь была Зыкова. Но все свидетели, словно сговорившись, талдычили лишь о том, что видели Зыкову в обществе Василия Петровича. Про усатого мужчину в обществе покойницы Зыковой вспомнил лишь один свидетель, чей голос совершенно потонул в голосах остальных очевидцев.

На этом общем фоне утверждения личного шофера, что домой они с хозяином возвращались вдвоем, без всякого женского пола, как-то меркли.

— А уж теперь, — горько закончила Алена, — когда стало известно и о второй жертве, которая появилась у нас, полицейские, наверное, и вовсе тут поселятся.

Инга сочувственно покачала головой.

— У тебя есть какие-нибудь соображения? Кто мог убить этих двух женщин?

— Мне все время не давала покоя мысль, что слишком у многих одиноких женщин у нас в «Дубочках» в последнее время появились кавалеры. Причем как-то у всех троих одновременно. У Зыковой — кавалер. У Наташи — кавалер. И даже у Натальи Кирилловны — тоже кавалер. А уж она-то — кремень... Вдова, ходила словно статуя неприступная. А тут траур сняла, в нарядное переоделась, даже волосы распустила.

— И что? Пришло и к ней счастье.

— Да, только все как-то не приходило, а тут взяло и пришло. И к Зыковой пришло. И к Наташе пришло. А им, я точно знаю, долгое время не везло. У Наташи вовсе никого и никогда толком не было, кто появлялся, всех ее мать прогоняла. А у Зыковой после развода тоже дела на личном фронте не ладились. И вдруг у обеих практически одновременно появляются мужчины.

— Ну, бывает такое.

— Может, и так, но мне эти совпадения показались подозрительными. А уж когда я узнала, что Наташа не просто исчезла, а убита, причем убита именно так, как была убита Зыкова, только спустя сутки, то у меня вообще в груди все загорелось, так захотелось узнать, что это за кавалер такой внезапно у Наташи нарисовался.

— Ты думаешь, что этот таинственный кавалер убивает своих возлюбленных?

— Ага. Ножом в спину.

— Но зачем ему это?

— Откуда я знаю? Что ты у меня спрашиваешь? Может быть, этот тип маньяк?

— А на телах было обнаружено что-то такое?

— Что?

— Ну, опознавательное. Что могло бы объединить эти два случая в серию с одним маньяком? Ну, что там любят оставлять маньяки рядом с местом преступления. Допустим, какой-то цветок на теле жертвы или даже в теле жертвы, надпись какая-нибудь, может быть.

— Понимаю, о чем ты, — вздрогнула Алена. — Но, к счастью, тут обошлось без этого. Нож в спину — вот и все опознавательные признаки.

— А нож... один и тот же?

— Полиция говорит, что да. Конечно, пока еще трудно сказать: отчет экспертов будет готов не ранее, чем через пару дней. Но их предварительная оценка такова: размеры клинка в обоих случаях идентичны. И сила удара, способ, каким он был нанесен... Одним словом, все указывает на одного и того же человека, орудующего одним и тем же ножом. И он убил уже двух женщин!

— Жуть какая!

— И не говори. Как представлю, что где-то поблизости бродит бандюга, убивающий женщин ножом, прямо худо становится. И это прямо у нас в «Дубочках»!

— Ужасно!

— Но самое худшее ты еще не знаешь, оно еще впереди!

И Алена продолжила свой рассказ.

— Когда я пришла к Екатерине Павловне, то она была сама не своя. Она в этой толстой Наташке души не чаяла. Девчонка у нее была неудачная, больная или, я бы сказала, скорее ленивая. И лишний вес у нее был изрядный, хотя мать уверяла, что это из-за болезни. Но не знаю, мне кажется, девица просто слишком много ела. Я как-то наблюдала, как она на празднике умяла целый брикет мороженого, целых двести пятьдесят граммов, а потом еще и заела его огромным куском торта и десятком конфет и пирожных поменьше.

— Ты говоришь о покойнице, — напомнила ей Инга.

— Так что же делать, если она была обжорой, — с раздражением отозвалась Алена. — Глупо говорить, будто бы это было не так.

— Ладно, рассказывай, что тебе удалось узнать у матери девушки. Что это у нее за поклонник такой нарисовался?

— Так вот, ты и слушай самое скверное. Кавалер этот в своем роде весьма приметный. Уже в возрасте, но зато при больших бабках. Владеет поместьем, в котором он полновластный хозяин. Женат, поэтому роман афишировать не может. Однако согласен одарить свою даму сердца всеми мыслимыми благами, но за пределами «Дубочков». Тут он законопослушный гражданин и верный супруг.

— Что-то я не пойму, о ком ты говоришь? О кавалере Наташи или о нашем Василии Петровиче?

— О них обоих. Он един в двух лицах, понимаешь?

— Нет, — помотала головой Инга.

— Ну, вроде как двуликий Янус.

— Перестань, — поморщилась Инга. — Сейчас не время щеголять своими знаниями мифологии.

— Я лишь говорю тебе, что кавалер Наташи и наш Василий Петрович — это одно лицо.

— Нет! — воскликнула Инга в ужасе. — Не может такого быть!

— Вот и я тоже не поверила. Да еще с Наташей! Ну, с кем другим, поинтереснее, я бы еще задумалась. Но тут... Я сразу же сказала Екатерине Павловне, что мой муж тут ни при чем.

— А она что?

— Не стала спорить, но у меня сложилось такое ощущение, что она осталась при своем мнении. Она сказала, что дочь говорила ей именно про Василия Петровича. А подарки, которые дочь получала от своего кавалера, говорили о его очень тугом кошельке.

— И что же он ей дарил? — невольно заинтересовалась Инга.

— Много всякого. От одежды дорогих марок до новеньких гаджетов. И еще золото — цепь и браслет.

— Ну, это точно не про Василия Петровича. В моде он не разбирается. Золото привык считать в слитках, так что в ювелирке предпочитает платину. А в гаджетах он разбирается так же, как младенец.

— Хуже! — воскликнула Алена. — Сейчас иные младенцы уже рождаются с умением тыкать в нужную кнопку. А Вася до сих пор цепенеет всякий раз, когда ему нужно отправить письмо по электронке.

— Значит, девчонка встречалась с кем-то другим, а матери врала, что у нее роман с хозяином.

— Вот и я так же подумала. Но зачем Наташе было это делать?

— А затем, что роман с хозяином льстит самолюбию мамаши. А кого другого она могла бы и не потерпеть возле своей дочери.

— Или потому, что этот человек велел так говорить бедной девушке.

— То есть... что? Этот тип хотел скомпрометировать Василия Петровича?

— Ну да! Представляешь, какая будет шумиха, когда пресса узнает, что обе погибшие женщины были каким-то образом связаны с моим мужем? Про Зыкову тетка Вера открыто сказала, что та встречалась в вечер убийства с Васей. А теперь вот и мать Наташи утверждает, что Вася был любовником ее дочери.

— Ее погибшей дочери.

— Вот именно! — с отчаянием воскликнула Алена. — Понимаешь теперь? Даже если ничего и не докажут, про Васю все равно станут говорить, что он не только заводит себе любовниц, но что он их еще и убивает!

— Да, первое ему еще могли бы простить, особенно мужчины. А вот второе... Люди не очень-то любят голосовать за тех, кто убивает женщин.

Вместо ответа Алена схватилась за голову.

— Это какой-то кошмар! Мне кажется, что я сплю.

— Ты не спишь. И кошмар, как я понимаю, еще только начинается...

— Ты думаешь?

— Если все то, что ты мне рассказала, станет известно прессе и журналистам, а им это станет известно, на то они и журналисты, то завтра возле ворот усадьбы будет целая толпа, жаждущая взять интервью у твоего Васи, а при его отсутствии и у тебя самой.

— И что я им скажу?

— Правду, — произнесла Инга, немного подумав. — Скажи людям, что ты слишком любишь своего мужа, чтобы поверить в то, в чем сейчас его обвиняют.

Но Алена считала, что этого недостаточно.

— Нам нужно не оправдываться, а действовать. Нам нужно изобличить и схватить этого злодея. Это и будет лучшим оправданием для Василия Петровича.

— Ну, схватить преступника — это будет трудненько сделать. Мерзавец подчистил за собой хвосты. Ни одна, ни другая его любовница уже не заговорят.

— Но ведь если не поймать настоящего убийцу, выборы Васи можно считать проигранными.

— Согласна. Народ не пойдет за него голосовать.

— И поэтому единственный выход — найти настоящего убийцу, — твердила свое Алена.

— Но как нам это сделать?

— У меня есть версия, кто это мог быть.

— И кто? — заинтересовалась Инга.

— Это — Никитин. Главный оппонент моего мужа. Комплекция у него подходящая, он высокий и сильный мужчина. И представительный. И при деньгах. Такому вполне под силу очаровать не только простодушную Наташку и нимфоманку Зыкову, но и кого похлеще. Кстати, Арину он явно уже очаровал. И она, и ее маменька — змея подколодная живут сейчас в поместье этого типа. И я уверена, что это с его подачи тетка Вера обливает нас с Васей грязью. Никитин ей за это заплатил или что-то пообещал!

— Значит, ты считаешь, что этот Никитин встречается с женщинами из «Дубочков», заставляет их всем рассказывать о том, что они встречаются с Василием Петровичем, а потом этих женщин убивает? Но убивает так, чтобы подозрение пало на Василия Петровича?

— Да, когда начинается следствие и выясняется, что Вася встречался с ними обеими, то на моего мужа падает главное подозрение.

— Да! Вот это подлость! Слушай, а алиби?.. У Василия Петровича ведь есть алиби!

— Какое там алиби! Преступления совершены ночью. Разумеется, я могу подтвердить, что муж был со мной каждую ночь, но кто мне поверит? Да еще тело первой жертвы было обнаружено в кровати тетки Веры. Представляешь, если бы ее нашла не я, а кто-то другой, какой разразился бы скандал?

— Да, тогда и второй жертвы могло бы не быть, — задумчиво произнесла Инга. — Достаточно было бы и одного трупа, чтобы загубить политическую карьеру твоего мужа в самом зачатке.

— Поэтому завтра мы с тобой должны разоблачить этого негодяя Никитина.

— Ты уже знаешь, как мы это сделаем?

— Пока нет, — откровенно призналась ей Алена. — У меня от всего происходящего вообще голова кругом идет. Я уже ничего не понимаю. Откровенно говоря, я надеялась, что ты мне подскажешь, как нам лучше дальше действовать.

Инга не стала разочаровывать подругу сразу же. Хотя она сильно сомневалась, что сможет придумать в такой ситуации что-то толковое, все-таки пообещала:

— Я буду думать всю ночь и к утру что-нибудь придумаю.

Инга сдержала данное подруге слово. Она честно думала об их деле очень долго и утром сообщила:

— Нам надо проникнуть к этому господину Никитину прямо в дом, в его логово.

— Великолепно! — вскричала Алена с фальшивым энтузиазмом. — И как ты себе это представляешь?

Так как подруга молчала, она прибавила:

— Позволь тебе напомнить, что мы уже пытались наведаться в гости к Никитину и ничего у нас не получилось.

— Еще бы! Вы явились с барабанным боем и строем. Неудивительно, что бедняга струсил и окопался у себя в доме, как в крепости. Штурмовать вы ее не решились, потому и вернулись обратно в «Дубочки» ни с чем.

— А что ты предлагаешь?

— Поеду я одна. Меня никто не знает, прикинусь рьяной фанаткой господина Никитина, желающей помогать ему на добровольной основе в предстоящих выборах.

Алена покачала головой.

— Вряд ли у тебя это получится: если Никитин задался целью уничтожить моего мужа, у него в «Дубочках» должен быть свой осведомитель.

— А возможно, что и не один.

— Значит, Никитин уже в курсе твоего приезда. Наверное, и фотографию твою уже получил.

— Ну, не такая уж я и большая птица, — застеснялась Инга и все же не удержалась и восхищенно спросила: — Неужели и фотографию?

— Не понимаю, чему ты радуешься? Если это Никитин убил этих женщин, то я бы испугалась, окажись у него в руках моя фотография.

— Ничего он мне не сделает, — самонадеянно произнесла Инга.

Но Алена все равно держалась той линии, что Никитин — человек опасный.

— Нет, одну я тебя к нему в усадьбу ни за что не пущу. Пойдем вместе.

— А ты... Разве тебя там не узнают?

— Придется замаскироваться.

— А как?

— Я слышала, у Никитина мать очень богомольная, к ней со всех сторон едут разные странницы и монашки. Вот мы ими и прикинемся. Платок на голову, волосы напудрим крахмалом, станут как седые. На нос старомодные очки. Никто и не догадается, кто перед ними. Думаю, охранники к богомолкам особо не приглядываются.

— Может, ты в старушку замаскируешься, а я в старичка?

Но Алена считала, что среди паломников старички большая редкость. В подавляющем числе случаев в «Никитское» приезжали пожилые или не очень пожилые, но женщины.

Инга не стала спорить и вместо этого поинтересовалась:

— А зачем они едут-то?

— Кто за пожертвованием, кто за помощью, кто просто за утешением. Но с пустыми руками, насколько я знаю, старушка никого еще от себя не отпускала.

Ну что же, невольно подумала Инга, пожилой даме повезло. Ведь, имея богатого сына, нетрудно творить на старости лет добро, искупая тем самым грехи юности. Судя по той активности, с какой женщина занималась благотворительностью, грехов у нее накопилось немало.

Глава 9

На сей раз к имению «Никитское» подруги подошли без всякой помпы. Алена настояла на том, чтобы избавиться даже от машины, потому последнюю часть пути женщины проделали пешком. Это в достаточной степени запылило их одежду и придало обеим страннический вид.

— Вы к кому? — строго спросил охранник у ворот главной усадьбы.

— Мы к Марье Евгеньевне.

— Сейчас спрошу, можно ли вас впустить.

И стражник захлопнул окошечко, через которое общался с женщинами.

Инга с недоумением вертела головой по сторонам.

Если в «Дубочках» любой желающий мог спокойно подойти к главному зданию и в означенные часы изложить хозяевам свои претензии, просьбы или предложения, то тут людям было не так-то просто проникнуть к хозяину. Дом окружала высокая ограда, снабженная вышками, на которых располагались часовые, угрожая всем дерзким, осмелившимся посягнуть на покой хозяев.

— Разве что частокола с отрубленными головами дерзких чужаков по периметру не хватает, — шепнула Инга на ухо Алене.

Но та была на взводе и шутку подруги не оценила.

Наконец вернулся стражник. Он угрюмо кивнул подругам:

— Проходите! Марья Евгеньевна вас ждет. Миха, проводи их!

Вот этого подруги не учли. Они-то думали, что, пройдя контрольно-пропускной пункт, дальше будут предоставлены сами себе и смогут найти тетку Веру с Ариной или даже самого Никитина. А лучше всего, если им повезет добраться до кабинета Никитина, где они и пороются всласть в его бумагах.

Самого Никитина сегодня с утра не было дома, потому что он участвовал в общественных дебатах наравне с Василием Петровичем и другими кандидатами в депутаты от их округа. И подруги рассчитывали, что в отсутствие хозяина дисциплина в доме будет ослаблена. Оказалось, ничуть не бывало.

— Миха, ты спишь, что ли? — повторил старший. — Не слышал, проводи богомолок к Марье Евгеньевне.

Михой оказался веселый ушастый парень, который нехотя поднялся на ноги и помахал подругам рукой:

— Тетки! За мной!

Никогда к ним еще не обращались таким образом, но пришлось подчиниться, и подруги поспешили следом за Михой. Однако оказалось, что на этом их испытания еще не закончились.

Не пройдя и пяти шагов, Миха неожиданно произнес:

— Вот скажите мне, женщины, вы ведь в Бога веруете?

И что им оставалось сказать?

— Веруем, сынок, — стараясь добавить в голос старческой хрипотцы, просипела Алена.

— И давно веруете?

— Теперь уж и не упомнить. Всю жизнь, почитай.

— А я вот не верю, — сокрушенно признался им Миха. — Да и как мне в него поверить, его же нет!

— Почему же нет?

— А если он есть, то где?

— Он всюду, сынок.

— И в воздухе тоже?

— Да.

— Выходит, я дышу им?

— Ты дышишь кислородом. Это душа твоя дышит Богом. Не было бы Бога, нечем было бы и твоей душе дышать.

— А душа, она где? — не успокаивался Миха, который был, по всей видимости, любознательным парнем. — Вы мне место четко покажите, где душа обитает, тогда и я поверю в Бога.

— Тогда уж не надо будет верить, если ты сам будешь знать. Зачем же тебе тогда вера нужна, если точно знать будешь?

— Нет, вы не понимаете, — не успокаивался Миха. — Каждому должно быть свое место. Кто-то тут находится, кто-то там. А душа, она где? Нет у нее места, получается.

И скорчив потешную гримасу, он воскликнул:

— Где Бог? Я хочу его видеть!

— Получается, что мозгов у тебя нет, — несколько сердито для смиренной странницы отозвалась Алена. — А Бога видеть — не дорос ты еще! Этой чести лишь немногие избранные удостаивались. За всю историю всего несколько человек и видели, да не самого, а лишь спину, или одежду, или славу Божью, то есть сияние. Ну или голос слышали. Да и то это великие праведники были, не чета тебе или мне. Ясно теперь?

— Нет, не ясно. Если Бог со мной не желает говорить, как же мне в него поверить?

И сдался ты ему! Алену так и тянуло сказать настырному парню, чтобы забыл об этой идее. Видать, нос еще не дорос, чтобы поверить. Но это было както не по-христиански, так что Алена промолчала.

Какое-то время Миха шел смирно, но потом снова разговорился.

— Вот Марья Евгеньевна — та верит. И в церковь каждые выходные ездит. И милостыню творит. И по монастырям на богомолье ездит. Да и образки у нее в комнате всякие, и кусочки святых мощей, а здоровья как не было, так и нет. И что вы скажете?

— Что?

— Почему если Бог есть, то он так жесток со старухой? — неожиданно тихо спросил Миха. — Она ему поклоны и днем и ночью бьет, а он ей здоровье не возвращает.

— Значит, она его об этом и не просит.

— Ну да, — усомнился Миха. — Как же! А о чем же ей еще просить? Дом у ее сына — полная чаша. Каждый день на обед только первое трех видов варят. Вдруг хозяину рассольника не захочется, а захочется ему окрошки или куриного бульона? У меня дома маманя когда одно что-нибудь за день горяченькое состряпает, так мы всей семьей радуемся. А тут у людей еды навалом, а удовольствия они от нее не получают. Разве это справедливо? Им и не нужно, а у них есть. А нам нужно, да не имеем.

— Значит, другое что-то имеете.

— Нищету имеем, это точно. Уж я просил у Бога денег, просил, а он все не дает. Вот если бы дал мне чемоданчик с червонцами, я бы поверил. Да и вообще, за чемоданчик с червонцами я во что угодно бы поверил!

Миха был парень простой и душу свою бессмертную, раз и навсегда ему данную, ценил недорого. Чемоданчик с червонцами, которые разойдутся у него за год — вот и вся плата. Или пусть даже червонцев будет так много, что до конца жизненного пути хватило бы Михе. Но жизнь на земле для него рано или поздно закончится, как и для всех прочих. И что потом? Кому Миха будет интересен там с этими своими червонцами? Да и вряд ли он сможет взять с собой хотя бы одну монетку.

Миха еще долго рассуждал в том же духе, мол, богатым легко верить в Бога, потому что он их осыпал благодеяниями сверх всякой меры. А вот нищим куда как труднее верить, потому что с ними Бог обходится совсем немилостиво. А Миха хотел бы, чтобы милостиво, в такого Бога он охотно бы поверил и сам стал бы хорошим, добрым, начал бы делать благие дела и все такое прочее.

Он порядком надоел подругам своим базарным отношением к вере, ты — мне, а я — тебе, и обе женщины были даже рады, когда охранник наконец произнес:

— Вот мы и пришли. Это комната хозяйки. Постучите, она вас ждет.

И застыл перед дверью. Подруги, которые ожидали, что, доставив их до места назначения, парень уйдет, удивились:

— Почему ты не уходишь?

— А чего? Мешаю, что ли?

— Нет, не мешаешь, но...

— Вы входите, — повторил Миха. — Ждет ведь старуха.

И в его голосе прозвучало что-то, похожее на нежность. Но глаз он с подруг по-прежнему не сводил, так что им пришлось постучать и после разрешения войти в комнату матери Никитина.

Меньше всего подруги ожидали, что им придется общаться с этой женщиной. И к разговору с ней совсем не подготовились. А вдруг она примется их расспрашивать о монастырях, в которых они побывали, и о святынях, которые они видели? Они же ей и слова в ответ не смогут промолвить. Старуха их сразу раскусит! Поймет, что никакие они не богомолки, а аферистки, прокравшиеся в дом к ее сыну обманом.

Заробев, подруги замешкались у дверей. И тут из комнаты вдруг раздался молодой и зычный голос:

— Что же вы застряли там? Идите ко мне!

Делать было нечего, пришлось подругам войти в небольшую и очень просто обставленную комнату. Тут была кровать под белым покрывалом, письменный стол и несколько стульев. На побеленных стенах висели иконы, перед которыми теплилась лампадка. Но, несмотря на простоту обстановки, в комнате было удивительно чисто и светло.

— Я тут, подойдите.

Подойдя поближе, подруги увидели высокую худощавую женщину, сидящую в инвалидной коляске. На ногах у нее был плед, а нос украшали темные очки. Лицо и кожа были у женщины бледными, как бывает, когда много времени проводишь в закрытых от солнца помещениях.

Это и была мать Никитина, Алена видела ее впервые, она даже не подозревала, что у Никитина мать — инвалид, способный передвигаться лишь в коляске. Разумеется, она слышала, что люди говорили, будто бы старуха нездорова, но не подозревала, насколько далеко зашла болезнь этой женщины.

И теперь Алена испытывала острые угрызения совести, что посмела обмануть больную.

— Мне сказали, что вы хотели меня видеть, — произнесла Марья Евгеньевна приветливо. — Вы к нам издалека?

— Из Питера.

— Ого, — удивилась Марья Евгеньевна. — Везет нам нынче на питерских. Наверное, вам будет интересно узнать, что у нас в доме уже есть две гостьи из вашего города. Правда, они, скорее гостьи моего сына, но и мои тож.

Тетка Вера и Арина! Помимо воли Алена ощутила в груди некоторый трепет, а в руках — конвульсивные подергивания. Так бы и придушила мерзких обманщиц, окопавшихся неподалеку!

Марья Евгеньевна тем временем продолжала:

— Однако если вы так издалека приехали, то наверное, сильно устали?

— Есть такое.

— Тогда я распоряжусь, чтобы вам дали отдохнуть с дороги и обязательно накормили. А потом вы придете ко мне и мы с вами обсудим то, ради чего вы приехали. Если у вас в чем есть нужда, то я постараюсь ее удовлетворить.

— Мы много слышали о вашей доброте.

— Люди часто преувеличивают сделанное мной. К тому же подавляющее большинство хочет одного — денег. А этого добра благодаря моему сыну у нас в доме навалом. Но я чувствую, что вы приехали ко мне не ради денег.

— Верно.

— Ну, идите-идите, отдыхайте, — поторопила их Марья Евгеньевна. — Хоть мне и любопытно, но я потерплю.

Она позвонила в колокольчик, и почти сразу же на пороге появилась молодая девушка.

— Накормить и обиходить, — лаконично приказала ей старуха. — И позови Арину, пусть почитает мне Евангелие.

Услышав, что сейчас тут появится Арина, подруги постарались побыстрее ретироваться. Но как они ни спешили, а все-таки столкнулись с Ариной на лестнице. Впрочем, Арина так торопилась, что даже не взглянула на двух скромных богомолок.

— Посторонитесь, бабки! — рявкнула она на подруг. — В сторону!

Алена с Ингой испуганно шарахнулись от нее. Это не укрылось от глаз прислуги, которая улыбнулась им:

— Не бойтесь.

— А кто это такая?

— Это знакомая хозяина. Зовут ее Арина.

— Любовница?

— Никакая не любовница, — решительно отмела это соображение девушка. — Говорю же: просто знакомая. И я вам так скажу, эта Арина не имеет никакого права вам указывать, что делать. И толкать тоже не имеет права. Я бы на вашем месте пожаловалась на ее поведение Марье Евгеньевне.

— Тебе так не нравится эта Арина?

— Пришлая она и подлая к тому же. Что она, что ее маменька, как приехали, целыми днями по дому шнырь-шнырь, а потом между собою шур-шур!

И давай хозяевам на всех сплетничать и гадости обо всех говорить. Мастерицы обе козни другим строить и интриги плести. Слышали бы вы, какие у них планы насчет Марьи Евгеньевны, волосы бы дыбом встали!

— А что за планы-то?

— Ну, вы же сами видели, Марья Евгеньевна у нас глазами слаба. Почитай ничего и не видит. Обмануть ее — проще простого. Об этом Арина с матерью между собой и судачат целый день. К тому же Марья Евгеньевна одинока.

— Как же одинока? У нее сын имеется!

— Ну, сыну-то не до нее. Он своими делами занимается. Хорошо, если вечером на пять минут к матери забежит, спокойной ночи ей пожелать. А бывает, что и неделями к ней не заходит.

Видя осуждающие взгляды подруг, она поспешно прибавила:

— Нет, денег он для матери не жалеет. И нам велел ей очень хорошо прислуживать, каждое ее желание исполнять незамедлительно. Но мы бы и без его приказа хорошо о Марье Евгеньевне заботились. Она человек очень хороший и доверчивый, всем и всему верит. И многие нехорошие люди этим пользуются!

При этих словах девушки-подруги ощутили, что их щеки порозовели. Ведь и они явились в этот дом с целью обмануть старуху. Но оказалось, что девушка говорит о других.

— Арина эта с матерью мигом просекли, что старуха в компании нуждается. С нами — слугами ведь особенно не поговоришь. Ни образования, ни начитанности у нас нет. А тут сразу две городские приехали. Сначала мы думали, что их Антон Борисович пригласил, они с ним все время хороводились, а теперь видим, что хозяин с ними почти не общается, зато эти прилипалы к Марье Евгеньевне пристали. Целый день шушукаются, что она одинокая, что Арина ей по душе пришлась, что надо этой симпатией воспользоваться, старуха-то страсть какая богатая.

Что же, лично Алена ничего нового для себя в этом рассказе не услышала. Тетка Вера была в своем репертуаре, опять интриговала, опять строила планы, как и кого обмануть, обвести вокруг пальца, надуть и все такое прочее.

Она лишь сказала:

— Неприятные особы по вашему описанию выходят.

— И не говорите, — вздохнула девушка. — Всего третий день у нас, а надоели хуже горькой редьки. У нас их все тихо ненавидят. Говорят, в «Дубочках» маньяк объявился, так мы между собой думаем: хоть бы он к нам перебрался и их обеих бы прибрал.

— Грешно так говорить.

— Может, и так, но очень уж они нас достали. Все время хозяевам на нас ябедничают, кляузничают, а с нами себя ведут так, словно бы они обе в этом доме уже полновластные хозяйки.

— Наверное, все-таки ваш хозяин с этой Ариной амуры крутит?

— Да нет же! — с досадой произнесла девушка. — Нашему хозяину женщины вообще как-то без интереса раньше были. Только в последнее время у него кто-то появился.

— Кто же?

— Не говорит пока, — отозвалась девушка. — Марья Евгеньевна уж сколько раз у него спрашивала — молчит Антон Борисович на этот счет. У хозяина сейчас другое на уме — выборы. Только о них он и говорит что с матерью, что с другими.

— Очень хочет победить?

— А то! Он даже мать просил молиться о победе на выборах. И этих Арину с матерью сюда привез, чтобы они помогли ему грязью главного конкурента облить.

Ну, это подруги знали и сами.

— А как твой хозяин вообще этих женщин нашел?

— Это не он их нашел, это они ему позвонили и сказали, что имеют компромат на Василия Петровича. Это хозяин «Дубочков» и главный конкурент нашего хозяина.

— Знаем.

— Знаете? — удивилась девушка.

— Ну, то есть слышали, пока от станции до вас добирались.

— А... Ну тогда понятно. Вот Арина с матерью сначала в «Дубочках» жили, да что-то им там не понравилось, вот они к нашему хозяину и прибились.

К этому времени они спустились вниз, и девушка сказала:

— Что же, вот мы и дошли. Это кухня, тут вас покормят. А потом я покажу вам комнату для отдыха. Часочек отдохнете, а как Марья Евгеньевна вас к себе позовет, так и пойдете.

Обед еще не был готов, так что подруги взяли по куску хлеба и по чашке воды, чем чрезвычайно склонили поваров в свою пользу.

— Всем бы такими скромными быть, — с удовлетворением прогудела большая, в три обхвата, женщина в ослепительно белом поварском одеянии. — А то понаедут... Консоме им готовь! Ладно, допустим, я им его приготовлю. Так вопрос в том, смогут ли они его отличить от других кушаний? Знают ли они, что это вообще такое?

Подругам почему-то показалось, что консоме потребовала приготовить для себя лично тетка Вера. Она и в «Дубочках» любила помучить прислугу своими капризами. И в «Дубочках» тетку Веру с Ариной под конец их пребывания там тоже никто из прислуги уже не любил, и много раз слуги спрашивали у Алены, когда же эти две надоедливые гостьи наконец уберутся туда, откуда приехали. Если вначале прислуга дружила с теткой Верой, охотно жалея ее, то под конец все разобрались и старались общаться с ней как можно меньше.

Теперь Алена точно знала, почему так происходило.

Однако, что касается нынешнего приключения, подруги могли торжествовать. Своей цели они достигли. Теперь они были в доме своего врага и за ними никто не следил. Показав им комнату для отдыха паломников, которая находилась рядом с кухней, их все оставили в покое. Предоставленные сами себе девушки решили, что пришла пора действовать.

— Времени у нас немного. В любой момент старухе может наскучить слушать Евангелие, и она может потребовать нас к себе для разговора.

— Надо поторопиться.

Пока девушки путешествовали по дому, они постарались изучить его планировку. И теперь считали, что рабочий кабинет Никитина должен находиться где-то на первом этаже, так как второй этаж был полностью отдан во владение Марье Евгеньевне, только там она принимала людей, которых к себе приглашала. Подруг как привели к ней по черной лестнице, так по ней же и спустили. Как уже поняли подруги, между сыном и матерью существовала определенная дистанция. Никитин властвовал на первом этаже, его мать царила наверху.

Но сейчас для кратковременного передыха подруг отвели в комнатку за кухней, а она располагалась на первом этаже. И девушки собирались ускользнуть из своей каморки при первой же возможности. Однако сначала им долго не везло. В коридоре, примыкавшем к кухне, все время кто-то болтался: приготовления к обеду были в самом разгаре. Но затем в работе поваров наступило затишье. Как поняли подруги, кастрюли томились на плите, а кушанья в них «дозревали».

— Пора!

Подруги выскользнули из своего укрытия. Их интересовали три двери, которые они успели заметить издалека и которые отличались от прочих дверей в доме и цветом, и фактурой, и даже размером.

— Не удивлюсь, если за теми дверями скрываются личные апартаменты хозяина.

Охраны возле этих дверей подруги не заметили, но в этом не было ничего удивительного, ведь двери оказались крепко закрытыми на замки, с которыми подруги не смогли справиться.

Несолоно хлебавши, разочарованные подруги вернулись назад. Настроение у них было совершенно упадническим. Впрочем, как показало самое ближайшее будущее, может, оно и хорошо, что сыщицам не удалось проникнуть в апартаменты Никитина.

Ведь они там наверняка задержались бы, а уже через несколько минут после того, как они вернулись в каморку, за ними прислали от Марьи Евгеньевны.

— Она хочет кратко переговорить с вами до обеда, любопытство замучило.

Пришлось подняться и идти. Они понятия не имели, о чем захочет их расспросить Марья Евгеньевна, и потому шли к ней с изрядной долей робости. Подруги ожидали, что Арина уже закончила свое чтение и ее не будет в комнате. Так оно и оказалось. Но стоило Марье Евгеньевне усадить подруг и задать им первый вопрос относительно дороги, как они к ней добирались, через какие святые места, какие храмы им удалось посетить по пути, дверь внезапно скрипнула и на пороге появилась тетка Вера.

При виде ее Алена вздрогнула и ниже наклонила голову, натянув платок совсем до глаз. Но тетке Вере было не до богомолок, которых в доме было и без того довольно.

— Марья Евгеньевна, благодетельница вы наша, — залебезила она перед хозяйкой. — Скажите, хорошо ли вам моя Ариночка книжечку почитала?

— Благодарю. Все в порядке. Только читала она мне не книжечку, а Евангелие.

— Ах, да мне все равно. Я ведь неверующая.

— Плохо, голубушка. Без Бога в душе жить — значит дьявола тешить.

— Да что вы такое говорите? — притворно захихикала тетка Вера. — Какой дьявол? Мы с дочерью тише воды ниже травы живем. Никого не обидим, всяк нас с ней обидеть норовит. Сироты ведь мы с ней, смолоду ко всяческим обидам притерпелись.

— Вот потому и обиды вам вчиняют, что живете без Бога. Кабы веровали крепко, жили бы по закону Божьему, так защитил бы вас Господь от всяких нападок людских.

— Да уж, мир не без добрых людей. Всегда нам помогали. Вот и вы нам встретились, матушка — благодетельница вы наша.

— Не называй меня так.

Марья Евгеньевна поморщилась, и подруги поняли, что тетка Вера ей так же неприятна, как и им. Они ожидали, что Марья Евгеньевна сейчас отошлет неприятную ей персону, но старуха вместо этого произнесла:

— Молодец, что заглянула.

— А что такое, матушка — бла... Что случилось, Марья Евгеньевна?

— В неладное ты дело моего сына втягиваешь. Ссора с ближайшим соседом — это нехорошо.

Тетка Вера покраснела и залебезила еще сильней:

— Да кто же втягивает-то, Марья Евгеньевна? Вот не сойти мне с этого места, если в моих словах про хозяина «Дубочков» хоть крупица лжи была.

— Там все сплошная ложь! — твердо произнесла старуха. — Я с людьми много об этом человеке разговаривала. Никто ни разу не сказал мне о нем того дурного, что ты ведрами на него льешь! И про жену его дурного не слышала. Молода еще, ветер в голове, так ведь всему свое время.

— Это вы этих людей просто лично не знаете, как их знаю я! — запальчиво воскликнула тетка Вера. — Хитрые они оба, жадные и злые! А Василий Петрович...

— Не желаю ничего слушать! — неожиданно повысила голос Марья Евгеньевна. — Не знаю, что у тебя с этими людьми за нелады, но не втягивай в свою игру моего сына!

— Так разве же я...

— Он в депутаты метит, знаю это. Сын у меня до власти охоч. Весь в своего покойника отца. А в этот раз Антону сосед дорогу перейти может, за него больше людей проголосует. Вот сын и обрадовался, когда ты ему позвонила. А того не подумал, что, может, врешь ты все! И когда правда выяснится, сыну моему стыдно будет в глаза соседу взглянуть.

— Да ваш сыночек и ни при чем тут! Мы с Аришей сами на телевидение попросились. Его и рядом не было, зря вы тревожитесь.

— Не пытайся меня запутать, — покачала головой Марья Евгеньевна. — Может, я и слепая, да только вижу побольше, чем иные зрячие. Лгать ты мастачка, от этого и все твои беды. Живи правдой, и жизнь твоя изменится к лучшему.

— Говорю вам...

— Иди!

— Что? — осеклась тетка Вера. — Уже идти?

— Да, иди и подумай о том, что я тебе сказала.

Тетка Вера помешкала, а потом что-то произошло. Алена кожей почувствовала, как сгустился в комнате воздух и как замерло дыхание у тетки Веры.

— А кто это у вас сидит? — зловеще спросила она у Марьи Евгеньевны. — Вы хоть знаете, кто у вас в комнате сидит?

— Богомолки это, праведные женщины.

— Праведные?!

И тетка Вера сделала движение, намереваясь подскочить к Алене и сорвать у той с головы платок. Чтобы не допустить этого, Алена поднялась на ноги. Скрюченные пальцы тетки Веры вцепились не в платок, а в юбку. Но она была рада и этой добыче, трясла и дергала юбку, словно собиралась сорвать ее с Алены.

— Никакие это не богомолки! Обманщицы!

— Здравствуйте, тетя Вера, — произнесла Алена, пыхтя и пытаясь высвободить подол из пальцев соперницы. — Вот мы с вами и свиделись. Что же вы так внезапно от нас уехали? И не предупредили, и не звоните. Или лавры телезвезды заставили вас так зазнаться?

— И это еще надо разобраться, кто тут обманщица! — выступила в поддержку подруги и Инга.

Но тетка Вера не слушала обращенных к ней слов и громко завизжала:

— Это она! Она!

— Кто?

— Хозяйка «Дубочков».

— Алена Игоревна?

И хозяйка повернулась к Алене лицом с незрячими глазами.

— В самом деле? Вы? — неуверенно спросила она.

Скрываться дальше было бесполезно, и Алена призналась:

— Да, я.

— Почему же такой обман? — удивилась Марья Евгеньевна. — К чему он?

— А к тому, что ваш сын не желает разговаривать с нами.

— С кем это — с вами?

— Со мной и с моим мужем.

— Так и Василий Петрович здесь? — еще больше изумилась старуха. — Василий Петрович?

И она повернулась к Инге. Пришлось той встать и объяснить, что она всего лишь подруга Алены, а не супруг.

— Василий Петрович и не знает, что мы к вам отправились. Он бы нас не пустил.

— Врет она! — завизжала тетка Вера. — Небось муженек сам ее на вас и науськал. Страшно даже представить, что она могла с вами сделать... со старой... больной... беззащитной.

— Помолчи! — строго приказала ей Марья Евгеньевна. — Хватит сор свой всюду сыпать. Ты как худой мешок, из которого разная труха сыпется.

Тетка Вера пыталась что-то возразить, но Марья Евгеньевна прикрикнула на нее:

— Замолчи!

И тут же перекрестилась.

— Вот ведь... довела до греха... Искушение ты ходячее, вот ты кто такая, Вера!

— Но, Марья Евгеньевна...

— Да что же будешь с тобой делать! — воскликнула старуха. — И отослать нельзя: мигом панику в доме поднимешь, спокойно с людьми поговорить мне не дашь. И оставить нельзя: все время нос свой в разговор совать будешь. Вот что, иди в соседнюю комнату и ожидай там. А чтобы тебе удрать не захотелось, девочки тебя запрут.

— Меня?

— Да, тебя.

— Но я не желаю.

— А Аришку замуж за моего сына выдать хочешь?

От изумления у тетки Веры отпала нижняя челюсть. Видимо, она только мечтала о таком.

— Хочу! — машинально выпалила она, и глаза ее загорелись.

— Тогда иди и делай, что тебе сказано!

Тетке Вере пришлось подчиниться. Но покуда подруги шли за ней следом, каких только недобрых слов не услышали они в свой адрес. Это не помешало подругам запереть противную тетку на ключ в соседней комнате и вернуться к хозяйке.

— Отвели?

— Да.

— Слышала я, как она вас чехвостила, — улыбнулась Марья Евгеньевна. — Вот ведь до чего злобная баба! И лицемерная. В лицо улыбается, а как за порог — чуть ли не дегтем полила.

— А вы правда думаете поженить Арину и своего сына?

— Да упаси Бог! — воскликнула Марья Евгеньевна. — Это я так сказала, чтобы от Веры избавиться и спокойно поговорить с вами.

— А мы удивились.

— Я против самой Арины ничего не имею, — сказала старуха. — Она услужливая девочка и кажется разумной. Но ее мать... Ну да ладно, о ней потом поговорим. Вы-то ко мне зачем пришли?

— Честно говоря, мы надеялись, что ваш сын объяснит нам, что происходит.

— Так ведь Антоша на дебатах. И ваш муж тоже там должен быть. Вам ли этого не знать?

И старуха тут же осуждающе покачала головой:

— Ох, неправду вы мне говорите. Не к Антону вы шли, а с другой целью. И не со мной вы хотели поговорить... Вы моего сына во вражде к вам подозреваете, значит, за доказательствами этого вы сюда шли. Небось в вещах его покопаться хотели! В бумагах да в документах!

В голосе старухи не слышалось гнева, но тем не менее подруги покраснели. Правильно Марья Евгеньевна про себя сказала: хоть и слепая, а видит побольше зрячих.

— Не станем лгать. За тем и шли.

— И не получилось у вас ничего?

— Нет.

— Так это и неудивительно. Сын мой свои тайны от всех оберегает. Не первый год в политике. Когда подходили, видели караул у ворот? Тоже неспроста. Были уже попытки проникновения в наш дом. Но чтобы под видом богомолок — это впервые. Жаль.

— Что вам жаль?

— Жаль, что сын теперь и это развлечение запретит. Как узнает, кто ко мне под видом богомолок сегодня заявился, так и запретит.

— А вы ему не говорите.

— Так Вера скажет.

— А Вере вы что-нибудь за молчание посулите.

— Нет, я так не могу. Обман это. Лгать только начни — потом не остановишься. Но не тревожьтесь, этот вопрос я с сыном как-нибудь улажу. В конце концов попрошу его домик для моих гостей отдельно построить. Вы лучше мне скажите: правда, что у вас в «Дубочках» уже два убийства случилось?

— Да.

— И оба раза женщины, я слышала?

— Да.

— А еще говорят, что Василий Петрович и эти женщины...

— Вот это уже ложь!

— Хорошая жена ничего другого сказать и не могла, — улыбнулась Марья Евгеньевна. — Но я хоть твоему Василию Петровичу и чужой человек, но тоже считаю, что оболгали его.

— А кто? Ваш сын?

— Антоша, может, и охоч до власти, но он не убийца.

— Так нанять мог... кого-нибудь.

— Не могу поверить, чтобы сын ради карьеры убийцей стал. Живые души погубил!

— Но он с помощью тетки Веры активно распространяет слухи против Васи.

— Что Антон мог воспользоваться ситуацией— это я верю! — кивнула головой Марья Евгеньевна. — Этого у Антоши не отнять. Умение использовать обстоятельства себе во благо у него от отца. Но он умный мальчик, он не стал бы связываться с криминалом. Никогда не марался, и в этот раз не стал бы.

Несмотря на слова Марьи Евгеньевны, которая была твердо уверена, что ее сын не причастен к случившимся убийствам, подруги не торопились ей верить. Все-таки сын есть сын. Ни одна мать на свете, если только она в здравом уме, никогда не обвинит свое дитя в ужасном грехе. Будет всячески выгораживать, оправдывать и обелять свое чадушко, лишь бы отвести беду от его головы.

Но пока что подругам нечего было возразить старухе. Вот если бы им удалось взглянуть на бумаги

Никитина, тогда они были бы осведомлены, и разговор дался бы им легче. Но пока что они могли только развести руками и принести свои извинения за то, что проникли в чужой дом обманом и осмелились подозревать хорошего человека.

Извинения были Марьей Евгеньевной милостиво приняты, она отпустила подруг, пообещав, что уже вечером ее сын приедет в «Дубочки», чтобы лично поклясться в том, что он никого не убивал и подозревать его в этом не стоит.

Глава 10

Вечером Никитин в «Дубочках» не появился, хотя Алена с Ингой его ждали. Они очень надеялись, что авторитет Марьи Евгеньевны не позволит Никитину отклонить полученное приглашение. Но вечером Никитин к ним не заглянул, зато он появился рано утром. Настолько рано, что всем в усадьбе стало ясно: этот приезд точно не к добру.

Да еще Никитин пожаловал не один, он явился в сопровождении своей личной охраны — пятерых дюжих здоровяков, плюс шоферы и сам Никитин — итого восемь человек. Вся эта компания прикатила в «Дубочки» на двух машинах, и в усадьбе сразу же стало тесно и неуютно от обилия посторонних людей, держащихся шумно и нагло.

Домашние, кутаясь в халаты и недоумевая, с чем связан столь ранний визит соседа, высыпали в холл. Большие напольные часы показывали половину седьмого, даже для визита к завтраку было еще рановато.

— Чем обязан такому вторжению? — хмуро поинтересовался Василий Петрович.

— Это ваших рук дело! — громко воскликнул Никитин. — Считаете, что я подстроил эти два убийства и решили отплатить мне той же монетой!

— О чем речь?

— Не притворяйтесь, будто бы ничего не знаете!

Ответить ему Василий Петрович не успел. В этот момент дверь за спиной Никитина открылась и в нее ввалился красный от гнева Ваня, а с ним еще полтора десятка ребят из охраны. Если добавить тех двоих, которые охраняли усадьбу, получалось очень приличное количество народу. Прибывшие с Никитиным перестали чувствовать себя на коне. Они притихли и присмирели, испуганно поглядывая на превосходивших их числом охранников Василия Петровича.

Никитин тоже понял, что перестал контролировать ситуацию. Так что, когда он вновь заговорил, голос его звучал уже тише, хотя все еще обвинительно:

— Вчера ко мне в дом проникли ваша жена с приятельницей. Они все разузнали, разнюхали и разведали. А ночью каким-то образом миновали все мои посты и караулы и прикончили одну из моих гостий!

— Что?

Алена даже подпрыгнула на месте. Да и Инга вздрогнула.

— Кого же убили?

— Ой какие невинные глазки! — ехидно произнес Никитин, сердито глядя на них. — Не притворяйтесь, будто бы вам это неизвестно.

— Нет, мы не в курсе.

— Так я вам и поверил! Не знали они! Как же!

Но голос Никитина звучал уже гораздо тише, чем вначале, когда он только приехал и им двигали эмоции. Похоже, он начал понимать, что изумление Василия Петровича и остальных ненаигранное, тут и впрямь ничего не знают об очередной трагедии.

Никитин помялся и произнес:

— В общем, нам с вами надо серьезно поговорить.

— Проходите, — пригласил Василий Петрович прибывших. — Располагайтесь. Чувствую, что разговор у нас будет длинный.

Никитин не стал возражать. Он пошел следом за Василием Петровичем, который двигался во главе целой процессии. Он сам, за ним Алена с Ингой, затем Никитин и двое его самых доверенных людей, а замыкали шествие Наталья Кирилловна и слуги, которых тоже разбудили громкие голоса незваных гостей.

Впрочем, слугам войти в гостиную не удалось. На пороге их отсекла охрана, как своя собственная, так и Никитина.

— Всем кофе и чего-нибудь сладкого, — распорядился Василий Петрович прежде, чем скрыться в гостиной. — Вы ведь не откажетесь от кофе?

— Выпью, — не стал привередничать Никитин. — Меня всего до сих пор потряхивает. Надеюсь, вы нас не отравите?

— За кого вы нас принимаете? — усмехнулся Василий Петрович.

— За тех, кто способен на все!

— Откровенно, но это не ко мне. Если кто у нас и способен пойти по трупам, то это именно вы.

В таком роде они пререкались еще минуты две, а потом Алене эта импровизированная дуэль надоела, и она прервала ее вопросом:

— Так что же у вас в «Никитском» случилось?

Никитин вытер выступивший на лбу пот, хотя жарко не было, а было скорее прохладно. Пот на лбу у мужчины выступил от напряжения.

Потом он горестно изрек:

— Убийство!

— И кого убили?

Прежде чем ответить, Никитин потребовал от Василия Петровича:

— Поклянитесь, что вы не имеете к этому никакого отношения!

— Клянусь! — твердо произнес Василий Петрович.

— И вы не отдавали такого приказа?

— Ни я сам, ни мои люди к убийству отношения не имеем. Мы даже не знаем, кого убили.

— Так уж и быть... Поверю вам на слово, все равно другого выхода у меня нет. Но согласитесь: вы бы тоже так подумали, если бы вчера к вам в дом пожаловал кто-то из моих приближенных, а наутро в доме обнаружился бы труп.

— Так кого убили?

— Одну из ваших знакомых.

Все-таки Никитин был прирожденным политиком. Даже когда он хотел говорить прямо, он не мог этого сделать.

— И какую именно? Молодую или постарше?

— Постарше.

— Тетя Вера! — ахнула Алена.

Внезапно в гостиной стало очень тихо. Как бы ни относились они к тете Вере, но эта женщина жила вместе с ними, делила кров и хлеб. И остаться равнодушными при известии о ее кончине не смог никто. Инга побледнела. А уж Алена и вовсе почувствовала, как ее сердце ухнуло куда-то глубоко-глубоко. То ли в пятки, то ли в желудок.

— Неужели тетка Вера умерла? — жалобно спросила она у Никитина.

— Умерла! — фыркнул Никитин. — Ладно бы она просто умерла! Это я еще мог бы пережить, так ведь все гораздо хуже. Ее убили! Точно так же, как и первых двух!

И Никитин пустился в повествование о том, как сегодня около шести часов утра его разбудил один из охранников, который предложил ему выйти вместе с ним из дома. Разумеется, Никитин пожелал узнать, какого черта его будят в такой ранний час, когда он только-только успел смежить веки, но охранник не захотел ничего объяснить и лишь твердил:

— Вы должны это увидеть сами. Мы обход делали и нашли.

— Что нашли-то?

— Вы должны сами посмотреть.

Причем вид у парня был до того сконфуженный и растерянный, что Никитин поднялся, оделся и потопал следом за охранником. У выхода его поджидали еще двое охранников и сам начальник службы безопасности. Последний был бледен и твердил по дороге одно и то же:

— Понять не могу, как это случилось. После наступления темноты никто из здания усадьбы не выходил. И она тоже. Как же тогда она тут очутилась?

К этому времени они дошли до небольшого домика, в котором раньше располагалась сторожка, где ночевал сторож, отвечающий за сохранность фруктового сада. В период созревания плодов это место становилось весьма притягательным для молодежи в возрасте от десяти до пятнадцати лет. А так как «Никитское» было вполне процветающим имением, то и молодежи тут имелось в избытке.

Впрочем, в последние годы нужда в услугах сторожа отпала сама собой, потому что после установки новой электронной охранной системы, которая заранее оповещала о приближении нарушителей, из здания самой усадьбы на перехват нарушителям выдвигался отряд охранников, обмануть бдительность которых никому ни разу не удалось. Постепенно атаки на сад совсем прекратились. Так что сторожа рассчитали, а его домик временно стоял бесхозный.

Оказавшись рядом со сторожкой, начальник охраны в последний раз вздохнул:

— И как она тут очутилась?

— Кто? — зевнул в ответ Никитин, все еще не понимающий, по какому поводу тревога.

Вместо ответа начальник указал рукой на продолговатый предмет, прикрытый каким-то мешком. Полный самых недобрых предчувствий Никитин нагнулся и откинул мешковину. В ту же секунду спать ему расхотелось совершенно, потому что из-под мешковины на него взглянули два остановившихся глаза и перекошенное, почти неузнаваемое лицо.

Никитин громко выругался и отпрянул. Но уже через минуту полез посмотреть снова.

— Мне не показалось, это и впрямь была наша с вами общая знакомая — Вера.

— И как же ее убили?

— Я уже сказал — как и двух других.

— Ножом в спину?

— Да. Что в спину — это точно. И рана колотая. А уж нож или что другое использовал убийца, я сказать не могу. Но думаю, что нож. И думаю, что тот же самый.

Все угрюмо молчали, никто не сомневался, что отчет полиции будет однозначным.

— Еще одно убийство, — прошептала Алена.

— Третье!

— И сколько будет еще? Все женщины в округе в опасности.

Но Никитина волновало другое:

— Это была чистой воды провокация! Теперь у меня в поместье работает полиция, все мои предвыборные планы сорваны, можете торжествовать!

— При чем тут мы? Мы ее не убивали!

— С трудом в такое верится. Или скажете, что испытывали к этой особе теплые чувства? Особенно после того, как она вылила на вас ушат грязи на местном телеканале?

— Это было противно, но убивать... Нет, я такого приказа не отдавал.

— А я вот подумал иначе.

Василий Петрович тяжело вздохнул в ответ и обратился к Никитину как к неразумному дитяте.

— Ну сами посудите, дорогой Антон Борисович: вы в этом убийстве первым кого заподозрили?

— Вас! После выступления Веры и ее дочери на телевидении у вас должно было возникнуть желание отомстить этим двоим.

— Ну а передачу эту много народу видело. И они все должны были подумать точно так же, как и вы. И зачем бы мне совершать убийство, в котором меня самого сразу же и заподозрят?

В это время принесли кофе и сладости: шоколадки, печенье и засахаренные орешки. Василий Петрович первым взял с подноса чашку и тут же ее пригубил. Следом за ним взял чашку и Никитин, но подруги заметили, что он постарался взять ту, которая стояла как можно дальше от него. Значит, какие-то сомнения в искренности Василия Петровича и его непричастности к происходящим злодеяниям у Никитина еще были.

Василий Петрович между тем спокойно допил кофе и произнес:

— Я вам вот что скажу: у человека, который убивает женщин, есть повод меня ненавидеть.

— Именно вас?

— Да. Первое убийство было направлено конкретно против меня, но оно не сработало. Моим людям удалось обнаружить тело у меня в доме и перенести его в более отдаленное место.

— Что?

— Что слышали.

— Да вы ловкач! — невольно ахнул Никитин. — Значит, первое убийство было совершено в «Дубочках»?

— И второе тоже, хотя преступник уже и не осмелился действовать столь нагло, как в первом случае. Он удовольствовался тем, что зарезал женщину в непосредственной близости от усадьбы, но все же не стал транспортировать ее тело в мой дом.

— Наверное, побоялся, что и в этот раз его усилия окажутся напрасными, — усмехнулся Никитин. — Вы снова обнаружите и перенесете тело куда подальше.

— Но почему вы не поступили аналогичным образом? Или не догадались?

— У меня была такая мысль, — признался Никитин, — но я не успел ее осуществить. Буквально через несколько минут прибыл наряд полиции.

— Откуда они узнали? Ваши люди им сообщили?

— Не думайте, что у меня работают идиоты. Никто из моих в полицию не сообщал.

— И тем не менее полицейские откуда-то узнали о случившемся?..

— Им поступил анонимный вызов.

— И кто его сделал?

— Человек назвал себя свидетелем, но ни имени, ни прочих координат оставить не пожелал.

— Тут одно из двух. Либо этот человек крайне осторожен и не хочет лишних хлопот, а они бы обязательно последовали, назови он себя. Либо это и был убийца.

— Мне кажется, второе ближе к истине. В ночное время возле моего фруктового сада местные ходить избегают. Да и в дневное тоже.

— Но если это был убийца, он здорово рисковал, сделав звонок в полицию.

— Ничем он не рисковал, — сварливо отозвался Никитин. — Полицейские сказали, что проследили звонок и выяснили, что он был сделан с телефона покойницы.

— У нее при себе был аппарат?

— Да, был телефон, с которого этот тип и позвонил в полицию. А после использования бросил телефон рядом с трупом.

Какой циничный поступок! Слишком циничный для простого свидетеля, пожелавшего остаться неизвестным. Ясно, что случайный человек не стал бы рыскать возле трупа, надеясь найти телефон, с которого можно сделать звонок. Он либо вообще не стал бы звонить, а унес ноги куда подальше, либо воспользовался для звонка своим собственным телефоном.

— Звонивший был мужчина?

— Вроде бы да. Мне обещали дать послушать запись его голоса.

— Я бы тоже не отказался, — произнес Василий Петрович. — Этот тип действует так нагло, он явно хорошо знаком с нами и нашими привычками.

— Думаете, это кто-то из своих?

— Почти уверен в этом. Одного я только не могу понять: что нужно этому человеку? Чего он добивается, сея в округе панику?

— Не знаю, как насчет паники, а мы с вами явно под ударом. И если предположить, что этот тип задумал сорвать вашу и мою предвыборные кампании, то он почти достиг своей цели.

Вскочив на ноги, Никитин воскликнул:

— Но я так легко не сдамся! Пусть и не мечтает! Я за честные выборы!

Взглянув на Василия Петровича, он неожиданно спросил:

— А вы?

— Что?

— Вы за честные выборы?

— Разумеется! — тоже поднялся со своего места Василий Петрович.

— Значит, мы с вами договорились? Объединяем наши усилия, действуем сообща и ловим этого гада?

Василий Петрович колебался ровно полсекунды, затем кивнул головой:

— Да. Я согласен.

Бывшие противники торжественно пожали друг другу руки и попрощались. Василию Петровичу нужно было время, чтобы привести себя и свои мысли в порядок, одеться, а затем он собирался ехать в полицию, куда должен был прибыть и Никитин.

Когда Никитин оказался возле дверей, его остановил голос Алены:

— Скажите, а дочь убитой... Арина... Она где?

— Да, с ней-то все в порядке? — поддержала Инга подругу.

Никитин остановился и с недоумением взглянул на женщин.

— Арина? Понятия не имею, где она... Наверное, где-то в доме. Какое это теперь может иметь значение?

Высказавшись, этот тип прытко рванул прочь. Судьба молодой женщины, оставшейся одной в чужом месте с телом убитой матери практически на руках, Никитина ни капли не волновала.

В отличие от него Василий Петрович понял, как нелегко сейчас приходится Арине, и успокаивающе сказал жене:

— Я наведу справки об этой девушке. Думаю, что она сделала из случившегося правильные выводы. Нельзя сеять рознь между друзьями. И если она захочет, то пусть перебирается назад в «Дубочки», я не возражаю.

— Спасибо тебе! — обняла мужа Алена. — Ты у меня такой хороший!

— Погоди благодарить. Может быть, эта краля еще и не захочет сюда вернуться.

Василий Петрович словно в воду глядел. Арина заявила, что в «Дубочках» ей и ее матери было нанесено оскорбление, возвращаться она туда не желает, поскольку обрела в «Никитском» благодетельницу в лице матери хозяина. Как видно, выводы из случившегося Арина сделала, только совсем не те, на какие рассчитывал Василий Петрович.

В полиции, куда Арине все же пришлось поехать, девушке задавали множество вопросов, касающихся отношений ее матери с мужчинами. Арина в ответ твердила одно и то же:

— Ничего не знаю. У матери поклонников не было, она посвятила свою жизнь мне одной и только мной и жила. Мы с мамой были друг к другу так привязаны!

Здешний следователь по фамилии Терентьев уже знал о том, что Арина и ее мать жили вдвоем. Поэтому он лишь кивнул в ответ и продолжил расспрашивать Арину:

— Но с кем-то же ваша мать встречалась прошлым вечером. С кем?

— Я не знаю. Она ушла из дома еще засветло, сказала, что идет прогуляться.

— И вы не встревожились, когда пришло время ложиться спать, а матери дома не оказалось?

— Я не знала, что она не вернулась.

— Вот как? Вы даже не зашли к ней, чтобы повидаться перед сном? Убедиться, что с ней все в порядке?

— Нет.

— А могу я поинтересоваться о причине такого равнодушия к собственной матери?

— Это не равнодушие... просто мы с мамой немножко перед этим повздорили.

— И по какому же поводу?

— Это наше с ней личное дело. Вам об этом знать не обязательно.

— Хочу вам напомнить, что ваша мать убита. И если у вас есть хоть малейшее представление о том, кто мог это сделать, изложите свои соображения.

— Мне нечего вам сказать. Мы с мамой всегда жили душа в душу. Но маленькие ссоры между нами, конечно, случались. У кого их нет? И вот во время одной из таких ссор мама сказала, что не хочет меня видеть, и ушла. А я тоже обиделась и решила, что не пойду к ней первой мириться. Подожду до утра.

И Арина заплакала:

— Простить себе не могу, что ничего не почувствовала!

— Значит, вы не знаете, с кем встречалась ваша мать прошлой ночью?

— Нет!

Но, несмотря на этот сухой и лаконичный ответ, у следователя Терентьева сохранилось ощущение того, что дочь потерпевшей не вполне откровенна с ним.

Когда тем же днем, но чуть позднее к нему приехали Никитин со своим эскортом и Василий Петрович — со своим, то следователь прямо им заявил:

— Арина не была откровенна со мной. Думаю, девица что-то скрывает от нас.

— Но зачем ей это?

— Кто ее знает? У меня после разговора с ней сложилось ощущение, что ваша Арина совсем непроста. Как я понимаю, ее мать была еще той интриганкой, дочь могла унаследовать страсть к интригам. Возможно, она знает, с кем собиралась встречаться ее мать, но сознательно нам с вами этого не говорит.

— Почему?

— В качестве предположения могу сказать, что она хочет стрясти с этого типа деньги за свое молчание.

— С убийцы? Но это же очень опасно! Арина не станет рисковать жизнью.

— Я лишь предположил это в качестве версии.

Алена задумалась. Если Арина хотя бы вполовину любит деньги так же, как любила их тетка Вера, то вполне возможно, что следователь не так уж и не прав. Ради наживы Арина может забыть даже о благоразумии.

У Алены невольно вырвалось восклицание:

— Вы обязаны за ней проследить! И уберечь, если что!

— Да? — хмыкнул следователь. — В самом деле? Спасибо, что указали мне на мои служебные обязанности.

Терентьев не скрывал своего раздражения. В его вотчине произошло уже третье убийство за такой короткий срок. И это — накануне местных выборов, когда вся пресса и журналисты так и ищут возможность, чтобы вцепиться в очередную жертву. Думая об этом, следователь тяжело вздохнул. Нетрудно догадаться, кого поспешит закидать грязью пресса, если в самое ближайшее время не будет изобличен преступник. При мысли об этом на лбу следователя появилась глубокая складка.

И еще одна головная боль мучила следователя. Когда произошло второе убийство, к нему из городского управления якобы в помощь была прислана бригада сыщиков. Все они были молодые и ретивые, на взгляд самого Терентьева, просто до неприличия.

Эти ребята с легкостью оперировали современными понятиями, бедняга Терентьев, которому уже стукнуло полвека, за их мыслями просто не поспевал. Он чувствовал, что молодежь опережает его на целую голову, а то и две, но ничего поделать с этим не мог, потому что понимал — ему тяжело соревноваться с ними.

— Вот позор будет, если сопляки меня обойдут, — бормотал Терентьев себе под нос. — А они, между прочим, тоже изъявили желание денно и нощно наблюдать за дочерью потерпевшей.

— Вот и прекрасно! — обрадовалась Алена.

— Прекрасно... Да... Я бы так не сказал.

— Пусть следят. Им может улыбнуться удача. Если Арина и впрямь затеяла сделать на смерти матери какой-то бизнес, то тут можно собрать богатый урожай.

— Не знаю, — вздохнул Терентьев и взглянул на Василия Петровича и Никитина.

К этим двоим он чувствовал куда большую симпатию, чем к пришлым сыщикам.

Помедлив, Терентьев, все так же глядя на Василия Петровича и Никитина, просительно произнес:

— Лучше бы нам самим распутать этот дельце. А? Как вы думаете?

Следователь был уверен, что обращается к нужным людям. Во-первых, потому, что этих двоих он знал уже очень много лет. А во-вторых, они были к нему куда ближе по возрасту, чем городские пижоны. Да и вели всегда себя куда порядочнее, чем они.

— Никого из вас я в убийствах не подозреваю, — откровенно признался он им.

Василий Петрович с Никитиным радостно переглянулись при этих словах следователя. Они-то были уверены в собственной непричастности, но им было приятно, что следователь придерживается того же мнения на их счет.

— Но все же совсем снять с вас вину я тоже не могу.

— Почему?

— Ведь у нас в округе было тихо столько лет подряд, — с тоской в голосе объяснил им Терентьев. — А как началась эта ваша предвыборная шумиха, так и понеслось. Один труп, потом второй, теперь третий.

— Что же, вы все-таки обвиняете нас в этом?

— Нет, вас я не обвиняю, вас я знаю давно. Но вот ваши люди... Скажите честно, сколько народа со стороны вам пришлось привлечь, чтобы ваши предвыборные кампании шли, как надо?

Василий Петрович с Никитиным честно напрягли свои мозговые извилины, но так и не смогли сказать точно.

— А хотя бы примерно?

Мужчины снова принялись вспоминать и сообща набрали примерно полтора десятка людей.

— И это только те, с кем вы лично общались и кого знаете, — совсем приуныл Терентьев. — А на самом деле чужаков в связи с предстоящими выборами к нам прибыло куда больше.

— И что вы хотите сказать?

— Я считаю, что раз до сих пор у нас все было тихо, а с началом предвыборной кампании стали плодиться трупы, то искать надо не среди местных, а среди тех, кто прибыл сюда на работу или по какому-то служебному заданию.

В словах следователя было зерно истины, и все внимательно уставились на него. Но следователь смотрел в этот момент на Никитина:

— И в связи с этим я попрошу вас составить подробный список сотрудников, которые работают у вас временно или появились в последнее время.

Василий Петрович наклонился к Никитину и вполголоса произнес:

— Я уже такой список предоставил. Надо особое внимание уделить мужчинам крупной комплекции, физически хорошо развитым.

— Да, я понял, — растерянно произнес Никитин. — Как-то до сих пор не верится, что один из моих людей может оказаться убийцей.

Но Терентьеву было не до душевных терзаний Никитина.

— Теперь что касается записей с камер видеонаблюдения, — произнес он мрачно. — Спасибо вам, что установили охранную сигнализацию вокруг ваших фруктового сада и сторожки, где произошло убийство. Благодаря этим записям нам удалось увидеть преступника... Верней, преступницу.

— Так это была женщина?

— Во всяком случае, на ней одета юбка, и она носит шляпку.

— Юбка? Шляпка? Но кто же она такая?

— Вот этого, к сожалению, я вам сказать не могу. Лицо разглядеть не удалось. Сейчас я покажу вам запись, может быть, вы сможете что-нибудь сказать мне по этому поводу.

И следователь подсел к компьютеру, который был недавно поставлен в их отделении и с которым Терентьев еще не успел до конца познакомиться. В результате он без толку прокопался, увяз в куче ненужных вкладок и все равно был вынужден позвать кого-то из своих сотрудников, чтобы тот нашел нужный файл и включил бы запись.

Видя такую беспомощность следователя, Никитин лишь выразительно изогнул левую бровь, Василий же Петрович и вовсе остался невозмутим. Он и сам был не в ладах с компьютером и потому сейчас смотрел на потуги Терентьева скорее с сочувствием, чем презрением.

Впрочем, с помощью более продвинутого коллеги дело у Терентьева быстро пошло на лад.

— Вот смотрите... Сейчас пройдет потерпевшая.

И точно, стоило следователю это сказать, как на экране появилась тетка Вера, еще живая и со своим обычным быстрым и шныряющим по сторонам взглядом. Было видно, что она улыбается, словно человек, предвкушающий получение подарка или какого-то приза. Алена хорошо знала тетку Веру и могла бы поклясться, что такую улыбку на ее лице могла вызвать только одна вещь — перспектива погреть свои руки!

— Она точно там появилась неспроста, — произнесла Алена. — Арина может вам заливать сколько угодно, но я скажу: тетка Вера там не гулять собиралась. У нее была деловая встреча, и она собиралась в момент этой встречи хорошо на ком-то нажиться.

Следователь кивнул, показывая, что принял слова Алены во внимание, и предложил:

— Смотрите дальше. Прошло уже четверть часа. Сейчас появится вторая.

И точно. На экране появилась колоритная фигура в длинной цветастой юбке и большой белой панаме с такими огромными полями, что они совершенно закрывали лицо женщины.

— Видите?

Алена могла лишь подавленно кивнуть. Подавлена она была потому, что белая панама на голове неизвестной женщины показалась ей подозрительно похожей на шляпку, которая была привезена Аленой из Италии и до сих пор хранилась где-то в недрах ее гардероба. Что касается юбки, то тут Алена была совершенно уверена: такая юбка у нее точно была. Вот только юбку эту она купила в соседнем городе, а потом не стала носить, так как видела похожие на многих женщинах. Но вот шляпа... Шляпа была несомненным эксклюзивом, и она вызвала у Алены массу чувств.

Ее эта шляпа или не ее? Ответ на этот вопрос до крайности волновал Алену. И она поклялась самой себе, что, как только приедет домой, первым же делом поищет эту шляпку.

Погруженная в эти мысли Алена ничего не сказала следователю. За них обоих ответил Василий Петрович:

— Да уж... Крупная дамочка, — хмыкнул он. — И рост, и телосложение у нее прямо-таки богатырские. Плечи-то какие широкие!

Незнакомка на записи мелькнула и пропала из кадра.

— Это еще не все, — предупредил их Терентьев. — Слушайте. Я перемотал, но в действительности прошло еще восемь минут.

Тут из динамиков компьютера раздался громкий женский крик.

— Это же голос тетки Веры! — непроизвольно дернулась вперед Алена. — Ой!

Она поняла, что именно в этот момент, скорее всего, тетку Веру убили. Следователь подтвердил ее мысль:

— Время смерти потерпевшей примерно совпадает со временем этой записи. Но это еще не все, теперь преступница идет назад.

И действительно, в кадре вновь появилась та самая тетка в белой панаме. Только на сей раз двигалась она как-то тяжело, словно бы прихрамывала на левую ногу.

— Что это с ней?

— Рискну предположить, что травма, — почему-то не сдержался и хмыкнул Терентьев.

— В смысле?

— На зубах потерпевшей мы обнаружили кровь. Группа крови не совпадает с группой крови самой потерпевшей. Видимо, перед тем как умереть, ваша знакомая успела впиться зубами в левую нижнюю конечность убийцы.

Вот так тетка Вера! Даже умирая, она умудрилась насолить кому-то. Алена невольно почувствовала гордость за свою знакомую, как ни крути, а тетка Вера была боец. И пусть методы, какими она пользовалась, чтобы добыть в этой жизни свой кусок хлеба с маслом и икрой, бывали зачастую грязными, но зато действовали они безукоризненно.

— Так вы эту бабу запросто поймаете!

— Хромую и в такой-то шляпе!

— Скажите, вам лично эта персона кажется знакомой? — спросил Терентьев у Никитина.

Никитин покачал головой.

— Нет.

— А вам?

Теперь пришел черед помотать головой и Василию Петровичу. Следом за ним покачали головами и Алена, и Инга, и Ваня, и все остальные.

— Так я и думал, — вздохнул Терентьев. — И я вам даже подскажу, почему она вам кажется незнакомой.

С этими словами он поманил друзей в соседнюю комнату, где на столе стоял старый картонный чемодан, доверху набитый тряпками.

При виде этого чемодана Ваня неожиданно крякнул и произнес:

— Знакомый чемоданчик-то.

Василий Петрович и остальные вопросительно взглянули на Ваню, ожидая пояснений.

Ваня сказал:

— Мы с Чаром на этот чемодан наткнулись, когда Наташу искали. Сначала-то Чар нашел тело девушки, а потом рванул в сторону и через некоторое время привел нас к этому чемодану.

Все уставились на чемодан, пытаясь понять, чем он привлек к себе внимание умной собаки. На вид это был самый обычный чемодан, которые до сих пор в избытке валяются на свалках города и в которых любят покопаться заядлые барахольщики. В таких чемоданах люди у себя дома в чуланах обычно хранят разный хлам, который копится у них годами и даже целыми десятилетиями. А вдруг старые туфли мамы когда-нибудь еще войдут в моду и их можно будет носить? А вдруг платье бабушки удастся недорого перешить? Ткань-то ведь отличная! А вдруг моторчик из бритвы дедушки удастся куда-нибудь приспособить?

А потом, когда терпение у кого-то из членов семьи наконец иссякает, чемодан вместе с содержащимся в нем хламом переезжает на помойку.

Но так происходит в городе... А в «Дубочках»? Откуда там взяться старому, полувековой давности хламу, если люди стали активно заселять эти места лишь в последние годы? Тем не менее в окрестностях «Дубочков» уже образовалось несколько стихийных свалок, куда недобросовестные жители, а чаще всего туристы складывали свой мусор.

Василий Петрович вел безжалостную борьбу с такими свалками, но то и дело в разных частях «Дубочков» после импровизированных пикников на природе нечистоплотные граждане оставляли мусор.

— Сначала-то я хотел плюнуть на этот чемодан, — объяснял собравшимся Ваня. — Ведь он среди пакетов с мусором валялся — хлам, одним словом. А потом вдруг подумал: может, Чар чего-то там осо-

бенное унюхал? Чар — умный пес, без толку он бы
не стал на свалку лезть. Ну я и взял чемодан с собой.
В полицию вот сдал.

— А нам почему ничего об этом не сказал?

— Так неловко было... Ну что там, чемодан с разным старьем? Хвастаться нечем.

— И очень хорошо, что ты привез сюда эти
вещи, — похвалил его Терентьев. — Теперь я почти
уверен, что преступник использовал их для своего
маскарада.

— В смысле?

— А вы взгляните сами... Чемодан совсем старый,
весь покрыт пятнами, замок у него сломан, ручка на
честном слове держится, а вот вещи в чемодане совсем новые.

Все сгрудились вокруг чемодана, разглядывая его
теперь с еще большим интересом и вниманием. Алена и Инга, как знатоки модных брендов, первыми
поняли, что вещи тут хотя и недорогие, все сплошь
китайская подделка, но зато из последних коллекций. На многих еще были товарные ярлыки.

— Тут и парики имеются, — не без удивления отметил Василий Петрович.

— И усы, и борода.

— И даже коробочка с гримом есть! И зеркальце.

— Кто-то очень основательно подготовился для
маскарада, — сделал вывод Никитин.

— Но кому придет в голову гримироваться в лесу,
да еще на свалке?

— Только тому, кто не хочет, чтобы за его действиями наблюдали.

— И кто же... Неужели преступник?

— Да! — воскликнул Терентьев радостно. — И скажу я вам, что свалка для такого чемодана — это самое подходящее место. Если кто-то случайно пройдет мимо, то он не обратит никакого внимания на старый чемодан, надежно укрытый под мешками с другим мусором.

Теперь все смотрели на чемодан с куда большим уважением, нежели вначале.

— Вот оно что... — протянул Василий Петрович. — Выходит, преступник маскировался всякий раз, когда шел на дело. Но под кого он гримировался?

— Этого я сказать не берусь. Эксперты только вчера вечером освободились и согласились взять вещи из чемодана в работу. Да только теперь, когда у нас появился новый труп, может быть, они про эти вещи снова позабудут.

— Нельзя этого допустить!

— Мы делаем все от нас зависящее. Но наши возможности небезграничны.

Терентьев выглядел таким унылым, что всем стало его жалко. В самом деле, произошло уже три убийства, а у бедного следователя на руках только чемодан с маловразумительной историей. И запись камер видеонаблюдения, на которой ни черта, признаться, не видно.

Алена решила напомнить следователю еще об одной улике:

— Вы обещали дать нам послушать запись звонка с сообщением о третьем убийстве.

— Да, — снова приободрился Терентьев. — Вот только я никак не могу понять, зачем преступнику понадобился дополнительный риск. Разве что, как предположил наш психолог, негодяй вошел во вкус, обнаглел от безнаказанности и теперь получает удовольствие, дразня нас.

— Так дадите вы нам прослушать запись?

— Сейчас.

Терентьев снова повернулся к компьютеру, но вовремя одумался и вопросительно взглянул на более продвинутого коллегу, который один раз уже выручил его. Тот пришел на помощь Терентьеву и в этот раз. Вскоре из динамиков друзья услышали противный гнусавый голос, то ли мужской, то ли женский, который произнес:

— Возле сторожки в «Никитском» лежит труп женщины. Поспешите, если не хотите, чтобы служба охраны владельца подчистила там все!

И все, больше ни единого слова.

Первым отреагировал Василий Петрович:

— Ну в принципе тут все ясно. Кто бы ни звонил, он четко преследовал одну цель — скомпрометировать хозяина усадьбы.

— Думаете?

— А тут и думать нечего! На это указывает последняя фраза звонившего. Он не хочет, чтобы труп исчез и чтобы про него никто не узнал.

— Да, странная ситуация, — задумчиво произнес Терентьев. — Ведь и у вас в «Дубочках» произошло два убийства. Но тогда никаких звонков к нам не поступало.

— Первый раз — это был пробный заход, преступник еще не отработал технологию. Во второй раз он и так понимал, что исчезновение молодой девушки не останется незамеченным, Наташина мать станет искать ее и не успокоится, пока не найдет. Вы же сами знаете Екатерину Павловну... Посудите сами, нужно ли еще кому-то звонить, если речь идет о ее дочери?

Терентьев, у которого с возрастом все чаще стреляло в пояснице и который частенько наведывался в водолечебницу на сеансы к волшебнице-костоправше, согласно крякнул. Он хорошо знал Екатерину Павловну, знал ее энергичный характер и понимал: тут можно было обойтись и без звонков. Исчезновение дочери эта женщина замалчивать просто не позволила бы.

— А вот с Ариной и ее матерью совсем другая песня. С Ариной можно было договориться, она похожа на мать, ради денег способна на очень многое.

Терентьев снова крякнул.

— И все же мне кажется, что дело тут не только в этом, — произнес он. — Василий Петрович, вы уж не обижайтесь на меня, я не лично вас подозреваю, но... Но не появился ли в вашем пиар-отделе какой-нибудь очень уж активный креативщик?

— Что?

— Ну, человек, которому могла прийти в голову мысль таким образом избавиться от опасного соперника. Люди там у вас, я думаю, в большинстве своем новые, присмотритесь уж вы и к мужчинам, и к женщинам.

Пользуясь тем, что Василий Петрович подавленно молчал, Терентьев повернулся к Никитину:

— Это же касается и вас, — произнес он. — Кто возглавляет у вас предвыборную кампанию?

— Даниил Семенович... Абрамов. Но он работает у меня уже не первый год. И к тому же по своей сути он осторожный человек. Никогда раньше он к подобным методам не прибегал, и не думаю, чтобы на старости лет вдруг решил так рисковать.

— Все же расспросите его. Может быть, кто-то в его команде решил проявить личную инициативу. Кто-нибудь из новичков...

Версия, прямо сказать, была диковинной, но у бедного следователя явно другой не имелось. Все дружно пообещали, что обязательно поищут злоумышленника в своем окружении. Вдохновленный данным следователю обещанием, вернувшись к себе в усадьбу, каждый немедленно принялся за дело.

Алена первым делом бросилась на поиски своих шляпы и юбки. Но, обыскав весь гардероб, заглянув на все полки и во все уголки, она ни шляпы, ни цветастой юбки так и не нашла. Алена даже расспросила у прислуги, не видел ли кто ее красавицы шляпы, но горничные лишь разводили руками. Никто из них не мог сказать, куда подевалась шляпа хозяйки. Про юбку Алена даже не стала и спрашивать. Если уж прислуга не уследила за тем, куда делась приметная шляпа, то на простенькую юбку никто из них и подавно своего внимания не обратил.

— Может, взял кто, Алена Игоревна? — предположил кто-то. — У нас с этими выборами в доме полно новеньких.

— Может, кто и взял.

Но сама Алена понимала: даже если бы у них в доме и завелся вор, то белая шляпа была бы последней вещью, на которую мог упасть его вороватый взгляд. Во-первых, потому, что шляпа стоила совсем недорого. А во-вторых, потому что была куплена Аленой по причине своей почти что карикатурной громоздкости и по этой же причине вряд ли могла польстить вниманию вора. Даже для того, чтобы незаметно вынести шляпу из гардеробной, вору надо было основательно продумать свой маневр. Ее нельзя было просто сунуть в карман и вынести как ни в чем не бывало, так что ее кража должна была стать для вора целой эпопеей.

— И все же шляпа пропала.

Оставалось предположить лишь одно: шляпу украли специально для того, чтобы прогуляться в ней и быть похожей на Алену. Теперь хозяйка «Дубочков» изводила себя, с минуты на минуту ожидая нового появления полиции в усадьбе. Вдруг кто-нибудь из полицейских, отличающийся хорошей памятью и острым глазом, возьмет и припомнит Алену в этой шляпе? Это даст полицейским лишний повод подозревать Алену, а вместе с ней и Василия Петровича.

Несмотря на то что Терентьев был с Василием Петровичем вежлив и даже любезно предложил совместное расследование, это ведь было до тех пор, пока он не знал о том, кто является владелицей шляпки. Как только он узнает правду, все его былые подозрения насчет Василия Петровича, а теперь и Алены всплывут вновь.

— Да еще убийство Наташи! Удивляюсь, что Екатерина Павловна до сих пор молчит о том, что у ее дочери с Василием Петровичем был роман! Но как только она об этом скажет полиции, Васю тут же снова дернут. И Зыкову ему припомнят, и мою шляпку, и все на свете!

И Алена буквально схватилась за голову. Ах, как желала бы она, чтобы злополучная шляпа никогда не попадалась ей не глаза, чтобы не могла она ее купить! Алену даже не утешала мысль, что, не будь этой

шляпы, вор взял бы любую другую, приглянувшую-
ся ему вещь. Она была безутешна и готова винить во
всем случившемся одну лишь себя.

Глава 11

Над «Дубочками» и всей округой повисла тяжелая тишина. Все чувствовали, что прежней жизни
пришел конец. Никогда еще у них в усадьбе, где все
жили мирно и счастливо, не совершалось подобных
страшных преступлений. И теперь все были пода-
влены. В поместье завелся злодей, и, пока он не был
изобличен, все косились друг на друга с подозрени-
ем.

Особенно сильные чувства вызывали новички,
приглашенные для работы на выборах. Им достава-
лось больше всего опасливых взглядов. И позитив-
ного настроя, понятное дело, никому это не прибав-
ляло.

Немного успокоившись, Алена заставила себя
рассуждать здраво и не о пустяках, а о важном. Прежде всего ее беспокоила мысль о том, что же за человек мог маскироваться под нее, убивая тетку Веру?
Кто мог украсть у нее белую панаму, а потом разгу-
ливать в ней, выдавая себя за Алену? В том, что эта
шляпа была у нее украдена, Алена уже не сомневалась.

— И сделать это мог только кто-то, вхожий
к нам в усадьбу! — сказала Алена, когда Инга заглянула к ней, чтобы посоветоваться о дальнейших
действиях.

Алена продолжала:

— Может быть, этот же человек маскировался и под Василия Петровича, ухаживая за Наташей? Может быть, это ему принадлежал найденный в лесу чемодан с вещами и накладными усами и бородой? Может быть, он и есть таинственный убийца?

— А тебя не смущает, что маскироваться под Василия Петровича довольно сложно? Твой супруг не только всегда гладко выбрит, но в последние годы еще и заметно полысел? — осторожно спросила Инга в ответ.

Алена сердито посмотрела на подругу:

— К чему ты напоминаешь мне о том, что Василий Петрович лысый?

— Если злодей маскировался под Василия Петровича или тебя, то к чему тут усы, борода и парик?

— Да, неувязочка выходит. Но все равно надо найти этого таинственного ухажера Наташи!

— Согласна.

— Надо обелить репутацию Василия Петровича хотя бы в этом вопросе, — кипела Алена. — Вася уже поклялся мне, что у него с Наташей ничего не было, теперь мы должны это доказать!

— И с чего начнем?

Терентьев не скрыл от друзей, что осмотр тела пострадавшей девушки уже был проведен и он показал, что незадолго до своей кончины она имела незащищенный половой акт. Если на Василия Петровича падет хоть малейшее подозрение, то его тут же подвергнут унизительной процедуре, чтобы заполучить образец его спермы. И тогда уже только экспертам предстоит решить, мог он быть любовником Наташи или же нет.

Конечно, это до крайности огорчало Алену, которой не терпелось восстановить доброе имя своего мужа до того, как оно будет окончательно опозорено.

— Василий Петрович не мог быть любовником Наташи, — принялась рассуждать Алена. — Но любовник все-таки был.

— Значит, это был какой-то другой мужчина, — сказала в ответ Инга.

— Гениально.

— И если Наташа боялась сказать матери правду о том, кто был ее любовником, может быть, она сказала это подругам?

Вот только приятельниц у недалекой Наташи было всего две. И Алена вызвала обеих девушек к себе в усадьбу.

А вызвав, потребовала:

— Вот что, мои красавицы, расскажите мне все о том человеке, с которым встречалась Наташа.

Девушки растерянно переглянулись друг с другом, а потом та, что была побойчее, воскликнула:

— Так вы же и сами про него все знаете лучше нашего.

— Конечно, — поддержала ее вторая. — Про собственного-то мужа!

Глаза Алены сузились, превратившись в щелки.

— Значит, вам Наташа тоже врала о том, что у нее роман с моим мужем?

— Не врала, у нее и был с ним роман, — возмутились девушки.

— И с чего вы это взяли?! Она вам об этом сказала, да? И только на этом основании вы упрекаете моего мужа в измене?

— Нет, не только.

— А что еще было?

Девушки переглянулись и смущенно ответили хозяйке:

— Мы его с ней видели.

Алена почувствовала, как внутри у нее все оборвалось.

— Как... как с ней? Вы видели, как Наташа и Василий Петрович встречаются?

— Ну, его самого мы не видели, он из машины не выходил. Но машина была точно его.

— У мужа несколько машин.

— Знаем. И он к Наташе всякий раз приезжал на разных. То на внедорожнике, то на красной «Мазде», то на такой длинной черной... со значком непонятным.

— «Майбах», — пробормотала Алена. — А на белом кабриолете приезжал?

— Это с открытым верхом который?

— Да.

— На такой машине не приезжал. А так каждый вечер, как стемнеет, Василий Петрович к Наташе приезжал. Уже почти две недели, как он за ней ухаживать начал.

Алена молчала. Как уже говорилось, она имела беседу с супругом, который поклялся ей всеми своими предками и возможными потомками, что не встречался с Наташей наедине ни разу. И ни о каком интиме между ними и речи никогда не шло.

— Если мы и виделись, то исключительно на людях или в присутствии ее мамаши. Вот к Екатерине Павловне я заглядывал, но ты же знаешь, как иногда у меня прихватывает спину. А с Наташей мне что за интерес был встречаться? Девчонка у Екатерины Павловны была тупа словно пробка.

— Но она молоденькая и в чем-то привлекательная.

— Только не для меня! — отрезал Василий Петрович. — Повторяю тебе в последний раз: у меня с Наташей ничего и никогда не было. И экспертиза, если до нее дойдет дело, это лишь подтвердит.

Хорошо бы, но Алена все равно терзалась и страдала. И слова подружек Наташи еще больше растравили ее душевную рану.

Но девчонки, казалось, этого совсем не замечали. Наверное, считали, что Алена давно смирилась с похождениями своего супруга, да и вообще, не убудет же с нее, если муженек разок-другой и сходит налево.

Они продолжали болтать о своей погибшей приятельнице.

— Наташку-то как жалко, — произнесла одна.

— Сначала отец ее умер, а не прошло и сорока дней, как и она следом за ним отправилась.

— Моя бабка рассказывала про случаи, когда кто-то из умерших родственников утягивал за собой на тот свет еще кого-нибудь.

— Да, я тоже о таком слышала, — сказала первая девушка, которую эта тема явно заинтересовала. — И чего далеко ходить? Вот, к примеру, у Светки, моей подружки, жених был. Так у него сначала отец по пьянке в доме сгорел со всем имуществом, а спустя неделю за батей и сам жених последовал — на машине разбился. А ведь отец даже не жил с ними. У него давно другая семья была, там никто не пострадал, а вот старшего сына отец за собой на небо утащил.

— А у моей соседки бабка померла, так после нее сразу трое на тот свет отправились: муж, сын и даже внук.

— А у моего деда в деревне пес был, так он тоже деда только на сорок дней пережил. Все время плакал, есть отказывался. И на сороковой от тоски сдох. И бабушка рассказывала, что в тот год у них почти вся скотина передохла. Коровы, лошадь, овцы, свиньи, даже куры, и те передохли.

И взглянув на Алену, девушки дружно воскликнули:

— Вот как в жизни бывает!

Алена поморщилась:

— О чем вы говорите? Не пойму! Кто еще умер?

— Отец у Наташи за месяц до нее умер. А она следом за ним отправилась.

— Отец? А разве у Наташи был отец?

— У всех людей отцы есть. И у нее был.

— Нет, это понятно, но я имею в виду, что Екатерина Павловна никогда о муже не упоминала.

— Ну и что тут такого? Понятное дело, гордиться нечем. Жениться-то он на ней не захотел. Правда, ребенка признал и алименты на Наташу всегда платил изрядные.

— Вот только, как ей восемнадцать стукнуло, лавочку эту прикрыл.

— Хотя и богатый, а жадный.

— Все богатые — жадные. Потому они и богачи.

Но тут девушки смекнули, что сболтнули явно что-то не то, и смущенно замолчали, поглядывая на Алену, которая хранила молчание. Мысли ее двигались в определенном направлении, которое Инге было хорошо понятно. И она совсем не удивилась, когда услышала следующий вопрос Алены:

— Говорите, отец у Наташи хорошо зарабатывал?

— У него бизнес свой был. Кому теперь все достанется неизвестно. Отец-то Наташи вместе со своей женой погиб. На экскурсию в Индии поехали, да в ураган угодили и всем автобусом в пропасть рухнули. Почти два десятка человек погибло, среди них — несколько русских и отец Наташи с ее мачехой. Вот как не повезло!

— А как была фамилия отца Наташи? — поинтересовалась у девушек Инга.

Но те этого не знали.

— Если вам интересно, то спросите у Екатерины Павловны. Она должна знать.

Но Инга считала, что нечего теребить убитую горем женщину по пустякам. Чтобы установить фамилию отца погибшей девушки, достаточно обратиться в полицию.

Поэтому, выпроводив приятельниц за порог, Инга позвонила Ване.

— Можешь узнать фамилию отца Наташи?

— Запросто. Скоро перезвоню.

Инга рассчитывала, что Ваня в лучшем случае перезвонит спустя час-полтора, но ответный звонок прозвучал буквально спустя несколько минут.

— И как вы это делаете, а? — поинтересовался у нее Ваня.

— Делаю что?

— Ну, эти ваши штучки? Как вы узнали, что отцом Наташи надо поинтересоваться?

— Просто в голову пришло.

— Ох и голова у вас, Инга, — позавидовал Ваня. — Мне бы такую!

— Что ты имеешь в виду?

— Ну, если бы мы были вместе, то ваша голова плюс моя сила... Много хорошего мы с вами могли бы сделать!

— Не понимаю, о чем ты говоришь? — невольно принялась кокетничать Инга, как бывало с ней всякий раз, когда она разговаривала с Ваней.

Она и сама понимала, что не стоит ей подогревать страсть Вани к своей персоне, но поделать с собой ничего не могла. Когда у Вани загорались при виде ее глаза, в груди у самой Инги в ответ начинало что-то сладко петь. Было очень приятно чувствовать страсть Вани.

Но если для Инги эти отношения были всего лишь на уровне легкого флирта, то Ваня от неразделенного чувства страдал неподдельно. И сейчас он не пожелал поддерживать разговор на выбранной Ингой волне и довольно грубо отрезал:

— Ладно, не понимаете, так и не надо. А насчет отца Наташки я вам так скажу: любопытный это был персонаж! Гребешков Иван Владимирович. Вместе с ним «Санта-Барбара» к нам в «Дубочки» пожаловала.

— Не понимаю тебя. При чем тут Санта-Барбара?

— Скоро поймете, — заверил ее Ваня. — Вы хоть знаете, на ком этот Гребешков был в свое время женат?

— И на ком?

— На нашей общей знакомой! На Зыковой!

— На той, что убили первой?

— Вот-вот! На той самой, чей труп я из усадьбы на своих руках вынес.

— Давай не будем об этом вспоминать по телефону, — попросила его Инга, но Ваня обиделся на нее за эту просьбу.

— Вы чего, Инга? Неужто у себя в «Дубочках» я и то не могу спокойно по телефону разговаривать? Да тут все линии связи под контролем моих ребят. Да еще сейчас, накануне выборов Василия Петровича! Скажете вы тоже!

— Ну, все равно мне неприятно, что тебе пришлось это вообще сделать.

— Если неприятно, тогда, конечно, не буду, — покладисто согласился Ваня, который всегда очень чутко относился к пожеланиям Инги.

В этом он был куда внимательнее Залесного, который за все то время, что они с Ингой провели вместе, ни разу не откликнулся ни на одну из ее просьб с первого раза. Все ему приходилось повторять по несколько раз, да и тогда он оттягивал исполнение просьбы так долго, как это было только возможно. А если ему удавалось, то он с легкой совестью забывал о просьбе своей половинки.

Да и вообще, поведение Залесного было прямо-таки оскорбительным. За то время, что Инга провела в дороге и «Дубочках», мужчина ни разу ей не позвонил. Впрочем, Инга ему тоже не звонила, дуясь на возлюбленного и считая, что если он не оценит ее даже в разлуке, то, значит, не оценит уже никогда. Но почему не звонил он? Уж не потому ли, что и впрямь не ценил Ингу?

Думать об этом было очень тяжело, потому что Инга сильно привязалась к Залесному, можно сказать, даже полюбила его. Да и как не полюбить человека, в которого вложено столько сил и заботы? Теперь пришел черед Игоря делать ответный ход. Инга сказала себе, что если Залесный ей сам не позвонит, то она треснет, лопнет, взорвется, но звонить первой тоже не будет.

Для того чтобы отвлечься от всех этих мыслей, проведение расследования было самое то. Конечно, противный Залесный и тут успевал всюду встрять, но все же в меньшей степени, как если бы в случае, когда Инге совсем нечем было заняться.

— Так и что же ты узнал об этом Гребешкове? — поинтересовалась Инга у Вани, решив не думать о Залесном больше никогда.

— Вечером к ужину приеду и расскажу все в подробностях.

В этот момент Алена тоже подала голос:

— Ты с Ваней разговариваешь?

И когда Инга кивнула головой, она потребовала:

— Дай мне его тоже, когда закончишь.

— А мы уже закончили.

И Инга протянула трубку подруге. Она надеялась, что своей хозяйке Ваня ответит сразу же, что же такого загадочного было в личности отца Наташи помимо того, что одновременно он еще являлся и бывшим мужем Зыковой.

Но Алену интересовал не Гребешков, она продолжала думать о предполагаемой измене Василия Петровича. Поэтому ее вопрос был совсем на другую тему.

— Ваня, ты можешь мне сказать, кто пользуется нашим автопарком?

— Как это кто? — удивился Ваня. — Только вы и Василий Петрович.

— Это понятно. А помимо нас с ним? Кто еще?

— Никто.

— Что? Никто не может взять машину из нашего гаража?

— Без ведома водителя, за которым эта машина закреплена, — нет.

— А сами водители?

— Они иногда берут машины для своих надобностей. Вы это не хуже моего знаете.

Водителей в главной усадьбе было трое. Двое были исключительно для обслуживания хозяев. Вадим Петрович отвечал за внедорожник и «Майбах», а Гусля — за «Мазду» и кабриолет. А вот третий водитель Миша был взят им в помощь недавно и пока что отвечал исключительно за служебные перемещения работающих в доме и усадьбе людей, а также доставку провианта и других необходимых для жизнедеятельности усадьбы вещей.

Поэтому первыми к себе Алена распорядилась позвать Вадима Петровича и Гуслю, получившего свое прозвище за пристрастие к этому старинному музыкальному инструменту, на котором он играл для любителя просто виртуозно. Во всяком случае, молодые девки и женщины очень любили слушать его музыку.

Первым делом Алена поговорила с Вадимом Петровичем, который был солидным дядькой пятидесяти трех лет от роду, хорошим семьянином и вообще человеком обстоятельным и надежным.

— Вадим Петрович, скажите мне правду: кто в последнее время брал по ночам внедорожник?

— А что случилось, Алена Игоревна?

— Вадим Петрович, я вам задала вопрос.

— Алена Игоревна, я не знаю.

— Как не знаете?

— Так. Сам я машиной по ночам не пользуюсь. Если жене или детям надо куда-то поехать, то я после работы сразу же их и везу. А чтобы ночью поехать — такого у нас никогда не было. Ну вот, вы и сами знаете, что с вечера я машину в ваш гараж ставлю, а утром беру. Правда, мне пару раз казалось, что на ней кто-то ездил ночью. Но мое ведь дело маленькое — машина в порядке, а как вы ею по ночам пользуетесь, это ваше дело... хозяйское...

И Вадим Петрович замолчал. Он был человеком немногословным, потому что жил с женой, тещей и тремя дочерьми, которые трещали, словно сороки, по любому поводу. Даже если Вадим Петрович когда-то и любил поговорить, то годы супружеской жизни начисто излечили его от этого.

— Только внедорожник использовался без твоего ведома?

— «Майбах» тоже. Но один раз.

— И кто бы мог брать машины?

— Я не знаю. Я думал, что вы или Василий Петрович по ночам катаетесь.

— Гуся мог взять?

— А ему зачем? За ним самим две машины числятся. На них свободно мог поехать, вы же с Василием Петровичем нам не запрещаете брать машины, если нужда в том есть.

Это верно: не было такого случая, чтобы Василий Петрович не разрешил своим водителям воспользоваться доверенными им машинами в личных целях.

Но обычно водители всегда предупреждали, если такая нужда случалась.

— Ладно, спасибо, Вадим Петрович, позовите, пожалуйста, теперь ко мне Гуслю.

Насчет Гусли у Алены было больше подозрений. Он был моложе Вадима Петровича и поинтереснее его. Правда, Гусля был женат и, как казалось всегда Алене, женат счастливо, но все же детей у пары не было. Никто не требовал от Гусли, чтобы он был дома не позднее восьми часов вечера. Как уже говорилось, музыкальные способности Гусли привлекали к нему женский пол. И хотя ему уже стукнуло сорок пять, не могла ли Наташка увлечься музыкантом?

Но когда Алена начала расспрашивать Гуслю, то он ей сказал, что пару раз замечал, что доверенная ему «Мазда» вроде как побывала ночью где-то еще.

— Ставил я ее чистенькой, а утром — на ней брызги грязи. Да вы что не помните, я же вам говорил?!

Теперь и Алена вспомнила об этом.

— Действительно, говорил. А с кабриолетом тоже так было?

— Нет, чего нет — того нет. Ни разу его ночью без спроса не брали.

— Гусля, скажи мне честно, кто мог брать машины?

— Так кто... Наверное, вы или Василий Петрович.

Эта версия совершенно не устраивала Алену. И она продолжала давить на водителя:

— А если не мы, то кто?

— Больше некому.

— Может, кто-то из слуг?

— Не могу знать.

Но при этом Гусля отвел глаза в сторону, и Алена невольно насторожилась.

— Гусля! Правду ли ты мне говоришь?

Водитель тяжело вздохнул. Он явно что-то знал, но не торопился говорить об этом хозяйке.

Алена взмолилась:

— Гусля, помоги мне, пожалуйста!

— Алена Игоревна... — поднял на нее водитель страдающие глаза. — Не приучен я доносчиком быть.

— Значит, ты что-то знаешь?

Гусля молчал.

— Знаешь?

— Так это... — сдался наконец водитель, — знаю.

— И что знаешь?

— Пообещайте мне сперва, что вы его не уволите.

— Кого?

— Он ведь ничего дурного не хотел, так просто... перед девкой пофорсить. Разве дело — за это увольнять?

— Кого, я тебя спрашиваю?

— Нет, сначала пообещайте, что не уволите.

— Хорошо, я клянусь тебе, что никого увольнять не стану.

— И Василию Петровичу не позволите его уволить?

— И ему не позволю. Так кто брал наши машины?

— Мишка.

— Миша? Наш шофер?

— Ага.

— А зачем?

— Зазноба у него появилась. Пофорсить ему перед ней захотелось.

— Вот оно что!

Как уже говорилось, Мишкой звали третьего водителя, которому пока что доверяли лишь машины эконом-класса.

— На «Газели» и «Рено» перед девчонками не очень-то повыпендриваешься. Вот Мишке и пришла охота на машинах, какие подороже, поездить.

— И вы с Вадимом Петровичем ему разрешили? — с негодованием воскликнула Алена.

— Еще чего, — хмыкнул Гусля. — Только он ведь мог нас и не послушаться. Ни я, ни Вадим Петрович в усадьбе не ночуем, а Мишка тут живет. Ключи же от всех машин мы в одном шкафчике держим. Конечно, он закрывается, только у Мишки тоже от него ключ есть.

Прежде чем позвать к себе очередного подозреваемого, Алена спросила у Гусли:

— А что ты знаешь про девушку?

— Перед которой Мишка хорохорился?

— Разумеется.

— Она из очень хорошей семьи. Мишка хвалился, что отец у нее богач. Да и мать неплохую деньгу зашибает.

— Где зашибает? У нас в «Дубочках»?

— Ну, этого он не уточнял, а я не спрашивал. Сказал, что невеста богатая, вот и все. Да и какое мне дело, с кем там Мишка хороводится? Он вообще до женского пола очень охочий. То у него с Катькой-поварихой романчик закрутился, потом он на Ольгу, что в школу верховой езды приезжала учиться, переключился, а потом я уж и считать его зазноб перестал.

Нет, явно не о таком легкомысленном женихе мечтала рассудительная Екатерина Павловна для дочери. Впрочем, она ведь считала, что Наташа встречается вовсе не с шофером, а с самим хозяином поместья. И хотя это женщину тоже не очень-то красило, но все же объясняло в какой-то мере, почему Екатерина Павловна закрывала глаза на роман дочери.

— Позови ко мне Мишу. Только смотри, ничего ему не говори о нашем с тобой разговоре.

— За кого вы меня принимаете? Буду молчать как рыба. Если спросит, зачем вы меня к себе звали, совру что-нибудь.

— Просто ничего ему не говори.

— А вы его не уволите?

— Я же обещала.

И Алена отпустила Гуслю. Она не стала ему говорить, что если подозрения их оправдаются и окажется, что это Мишка брал машину, чтобы произвести впечатление на Наташу, то увольнение — это самое меньшее из тех зол, которые поджидают парня. Ведь если он встречался с Наташей, значит, он мог быть с ней в ту злополучную ночь, когда девушку убили. И если так, то не был ли Мишка причастен к этому убийству?

— Инга, я сейчас позову этого Мишу, а ты не уходи никуда, ладно?

— Я побуду с тобой, — серьезно кивнула головой Инга. — Как ты думаешь, он может быть убийцей?

Нет, всерьез Алена не могла подозревать розовощекого и круглолицего Мишку, который был довольно-таки простым парнем, недалеким и не очень умным. И вот сейчас, уже задним числом, Алена невольно подумала, что он и Наташа могли составить отличную пару. Они очень подходили друг другу и по возрасту, и по темпераменту, и даже по физическим характеристикам. И наверное, могли бы пожениться и счастливо прожить свою жизнь. Да вот не довелось.

Если с Вадимом Петровичем и Гуслей сыщицам удалось пообщаться практически мгновенно, то Мишка заставил себя подождать. Он появился в комнате хозяйки лишь спустя четверть часа.

— Вы меня звали, Алена Игоревна? Простите, я за сливками и сыром на ферму ездил.

— И это все?

— Маслица сливочного еще прихватил, — безмятежно отозвался парень. — Меня хоть и не просили, но доярки предложили взять. Я и взял. Свеженькое-то оно всегда вкуснее уже лежалого. К тому же у вас в усадьбе масло особое, недельку в холоде полежит — уже горькое.

— Так и должно быть, — снисходительно пояснила Алена.

— А магазинное-то масло месяцами лежит и не портится.

Но Алена не была настроена на дискуссию о достоинствах и недостатках магазинного сливочного масла и отличий домашнего от покупного.

— Миша, я хотела поговорить с тобой о твоей девушке.

Она не сводила глаз с лица Мишки и заметила, как сильно и быстро тот переменился.

— А чего говорить-то?.. — наконец выдавил парень из себя через силу. — Нет у меня сейчас никого.

— Так уж и никого?

— Никого.

— А кто был?

— Всех уж и не упомнишь.

— А Наташа?

— Какая Наташа?

— Дочка Екатерины Павловны.

Мишка был очень плохим актером. Он побледнел, закусил пухлую губу и с досадой произнес:

— Вычислили, значит, все-таки? И кто рассказал?

— Какая разница кто? Лучше скажи, это правда?

И тут, к удивлению Алены, Мишка рухнул перед ней на колени и горестно завыл:

— У-у-у... Я ни в чем не виноват!

— Ты чего ревешь? — растерялась Алена.

— Не убивал я ее, Алена Игоревна! Вот вам крест святой, что не убивал!

— Погоди, не кричи. Я тебя пока ни в чем и не обвиняю.

Мишка проворно поднялся на ноги и шмыгнул носом. Он был похож на обиженного ни за что ни про что маленького ребенка.

— Вы, Алена Игоревна, — произнес он с досадой, — может, меня и не обвиняете, вы меня достаточно знаете и понимаете, что я на убийство не способен, а вот полицейские — те очень даже запросто могут про меня иначе подумать.

— Расскажи мне все, что было.

— Да чего тут рассказывать-то? Встречался я с Наташкой, это правда. Подарки ей дарил!

— Подарки? А что же ты ей дарил?

— Ну, смартфон как-то раз подарил. Недорогой, китайская подделка, но Наташке я об этом не сказал. Одежду еще дарил.

— Тоже китайскую?

— Разную. Иногда и китайскую.

— Еще что?

— Обувь.

— Даже не спрашиваю, чье производство. Еще что?

— Бижутерию, — покраснел Мишка. — Под золото.

— А Наташке, конечно, сказал, что золото настоящее?

— Ну, там вроде пробы значок был. Я потому его и взял. Купил, а Наташке сказал, что это из Италии золотишко. Мол, там такие пробы, не как у нас.

Все ясно, вот чьи были подарки, которые Екатерина Павловна считала подарками Василия Петровича.

— Вы меня не осуждайте, я хотел впечатление на Наташку произвести, а зарплаты не хватало. Вот и приходилось выкручиваться. Но я ее не убивал. Наоборот, я жениться на ней хотел!

— А она?

— И она хотела... вроде.

— Что значит вроде?

— Матери она своей боялась, вот что. Та бы не одобрила, что жених из простых работяг.

— Это ты про Екатерину Павловну говоришь? Так ведь она и сама трудится не покладая рук.

— Но у нее-то диплом врача имеется. И отец у Наташи очень богатый тип. Да к тому же помер недавно, все наследство Наташке должно было отойти.

— Почему ей? Разве не было других наследников?

— Она говорила, что нет. Вроде у отца других детей, кроме нее, не было. Родители его померли давно. А жена, с которой он жил в последнее время, одновременно с ним погибла. Всей родни у мужика — одна Наташка.

Вот оно что! Выходит, Наташа в самое ближайшее время должна была разбогатеть. Это кое о чем говорило Алене, но о чем именно, она пока что сказать не могла. Алена видела, что Инга тоже глубоко задумалась, и не исключала, что задумалась подруга именно о том, что им довелось сейчас услышать от Мишки.

— Ну а что ты можешь сказать по поводу убийства Наташи?

И снова из глаз Миши потекли слезы. Трудно было понять, почему он в большей степени ревет. То ли ему так жалко погибшую невесту, то ли ее денег, не попавших к нему в руки, то ли самого себя, обвиненного в убийстве, которого он не совершал.

Вслух же Мишка завел все ту же пластинку:

— Не убивал я Наташу! Мы с ней пожениться хотели!

— И поэтому ты заставил ее всем врать, что она встречается с Василием Петровичем?

Мишка густо покраснел и залепетал:

— Алена Игоревна, мы не хотели ничего дурного. Это вообще все Наташка придумала! Она матери своей сказала, что с хозяином встречается, чтобы до нее не докапывалась.

— А почему нельзя было сказать правду?

— Мать Наташкина против меня сильно настроена была.

— Почему же?

— Гулякой считала. Но я и правда к Наташе совсем иное чувствовал, чем к прочим девчонкам. С ними у меня не всерьез было, а с ней — всерьез.

— И поэтому ты брал машины у нас из гаража?

— Да, — потупился Миша. — Без спроса брал. Нехорошо получилось, согласен. Но Наташа так радовалась, когда я на красивой машине к ней приезжал. И мать ее верила, что за дочкой хозяин ухаживает. Она ведь все его машины наперечет знала.

И что поделать с таким простаком? Вот уж воистину простота иной раз хуже воровства. Миша даже и не задумывался, что совершает противоправное действие, беря чужую машину без спроса. Да еще и моральный аспект имел не последнее значение. Но Мишка явно ни о чем таком не задумывался и, вообще, плохого и впрямь не хотел.

Поэтому Алена глубоко вздохнула и произнесла:

— Ну ладно, забудем пока об этом. Что про само убийство расскажешь?

— Так не убивал я!

— Это ты уже говорил. Что еще?

— А чего еще-то? — растерялся Мишка. — Не знаю я ничего.

— Полицейские считают, что Наташу убили около полуночи. А ты с ней в каком часу расстался?

— Так одиннадцать всего было. Мы с ней рано расстались. Она домой торопилась. Что-то они там с матерью должны были обсудить.

— Насчет наследства?

— Да.

— И ты подвез Наташу до дома?

— Нет. Неподалеку высадил.

— А почему?

— Мать ее манеру взяла дочь подкарауливать. В прошлый раз, когда я Наташку у дома высадил, мамаша ее из дома выскочила и ко мне бросилась.

— Зачем?

— Уж не знаю зачем, но лицо у нее такое было, что я по газам ударил и прочь укатил.

Выходит, Екатерина Павловна пыталась предпринять попытку побеседовать с тем, кого считала Василием Петровичем. Что же, честь ей за это и хвала. Алена была рада, что Екатерина Павловна не собиралась поощрять роман своей дочери с женатым мужчиной. И даже тот факт, что этот мужчина являлся ее работодателем и хозяином здешних мест, ее не испугал.

Или же женщина рассчитывала на деньги, которые в скором времени должна была получить Наташа? Перспектива грядущего богатства и впрямь могла сделать ее отважной.

Однако Алене нужно было еще о многом поговорить с Мишей.

— А там, где ты Наташу высадил, ты никого подозрительного не видел?

— Вроде бы нет.

— Вроде бы или нет?

— Старикан какой-то проходил, только какая от него опасность? Он старенький уже совсем был, с седой бородой.

С седой бородой! А ведь в чемодане, который нашли Ваня и Чар, как раз и была седая борода и прочие приспособления для маскировки.

Но Алену терзало и кое-что еще.

— Ты хотя бы сознаешь, — обратилась она к парню, — что сейчас полиция станет подозревать в убийстве Наташи моего мужа! А все из-за вашего вранья!

— А разве лучше, если полицейские пронюхают про меня? — возразил ей Мишка. — Пусть уж ваш муж у них сейчас главным подозреваемым побудет, ведь он обязательно выкрутится.

— Почему ты так думаешь?

— Богатые завсегда из всех историй выкручиваются, будто бы сами не знаете. Где надо — заплатите, кому надо — взятку посулите. Вот и выйдете сухими из воды.

— Так ведь эту воду ты разлил!

— Ничего я не разливал. Я Наташку не убивал.

— А почему нам с Василием Петровичем не рассказал, что ты с ней встречался?

— Еще чего! Что я, дурак, что ли?

— Но ты был с ней в тот вечер, сам признался.

— Верно, был. Только мы с ней хорошо время провели. Она меня любила, моя Наташенька.

И Миша снова расплакался.

— Не реви ты!

— Ладно, — утер нос Мишка, но слезы из его глаз продолжали капать.

Похоже, он и впрямь был сильно привязан к Наташе. Алене почему-то думалось, что наследство девушки тут играло не последнюю роль.

— Скажи, когда ты под видом Василия Петровича к своей невесте подкатывал, ты только машины брал?

— А что же еще?

— Ну, может, одежду менял, маскировался как-нибудь?

— Зачем? — изумился Мишка. — Наташа меня таким, какой есть, любила. Зачем маскироваться-то мне было?

— Значит, усы и бороду ты себе не клеил?

— Скажете тоже! Нет, конечно!

— А сексуальные отношения у вас с ней в тот вечер были?

— Были. И даже трижды. Вообще-то, я и больше могу, но ей домой надо было, и я...

— Я уже все поняла! — перебила его Алена, которой совсем не хотелось слушать о любовных подвигах своего шофера.

Она оглядела Мишку с головы до ног и констатировала:

— Плохо, парень, твое дело. Сейчас полицейские экспертизу делают, хотят понять, что за мужчина с Наташей был в ночь убийства. Если кто-нибудь им про тебя намекнет, то они у тебя сперму на анализ возьмут, и не выкрутиться тебе тогда будет.

Мишка снова заревел.

— Думаете, я сам этого не понимаю? Потому и молчал, что боялся, как бы меня к ответу не притянули. Полицейским же все равно, кого схватить. Им главное, чтобы для галочки человека арестовать. А виноват он или нет, это их не волнует.

— Напрасно ты так про нашего следователя думаешь.

— А я не про Терентьева, хотя и он еще тот тип. Я про других говорю, которые из города приехали и всюду шныряют, всех расспрашивают. Я эти дни прямо сам не свой хожу. Только о том и думаю, как бы на меня кто не донес.

— Кто же донесет, когда вы с Наташей так хорошо все подстроили, что только на моего мужа все и подумают! — с досадой произнесла Алена. — Просто удивительно, как это полиция на Василия Петровича еще до сих пор не набросилась!

И Алена невольно подумала, что люди в «Дубочках» очень хорошо относятся к ее мужу, раз до сих пор ни Екатерина Павловна, ни подружки Наташи не проговорились полиции о том, с кем встречалась покойная. Вот только был ли это вопрос одной лишь любви или страх тоже присутствовал?

— Но вы же им меня не выдадите? — прогнусавил Мишка, у которого от пролитых слез даже нос заложило.

Алена поколебалась с ответом. Но заплаканные глаза Мишки смотрели на нее с такой мольбой, что она сказала то, что пришло ей в голову в тот момент:

— Если ты невиновен, как говоришь, то тебе ничего не грозит.

Миша заметно повеселел. Глаза его мгновенно высохли и заблестели. И снова Алена подумала о том, что в его чувствах к Наташе было куда больше себялюбия, чем искреннего чувства к девушке. И пожалуй, Екатерина Павловна была права, когда не хотела видеть Мишку своим зятем. Вот только, если Мишка не убивал невесту, Василий Петрович вообще, как выяснилось, тут оказался ни при чем, тогда кто же всадил Наташе нож под лопатку? Это обстоятельство до сих пор оставалось невыясненным.

Глава 12

Когда Мишка ушел, Алена повернулась к подруге.

— Что ты думаешь по поводу этого типа?

— Он не убивал, так мне кажется.

— А мне еще кажется, что Мишка нацелился на наследство Наташи, а не на нее саму. Сама Наташа ему была нужна постольку, поскольку к ней прилагался приличный денежный куш.

— Да, и раньше времени убивать курочку, которая должна была в скором времени снести ему золотое яичко, и даже не одно, парню было не резон.

— Надо побольше разузнать про это наследство.

Подруги решили отправиться к Екатерине Павловне. Алена немного опасалась, как пойдет у них разговор, но волшебницы-костоправши не оказалось дома.

— Следователь ее к себе вызвал, — объяснила соседка, временно присматривающая за домом и самой несчастной матерью. — Новости у него появились.

— Какие?

— Катя сказала, что это насчет любовника Наташкиного.

И тут же женщина залилась густым румянцем: видно, и до нее дошли слухи, порочащие доброе имя Василия Петровича. А Алена, так та и вовсе пришла в неописуемое волнение. Сбывались самые худшие ее опасения. Она пожалела, что дала обещание Мише, что будет молчать. Ах, с каким бы удовольствием сейчас она рассказала, как они стали жертвой обмана их личного водителя. Но слово есть слово, давши его, как известно, только держись!

Поэтому Алена произнесла совсем не те слова, что вертелись у нее на языке.

— Мы хотели спросить у Екатерины Павловны, — сказала она, — насчет наследства, которое должна была получить Наташа.

— А что именно?

— Большое оно, это наследство?

— Точных размеров я не знаю, но Катя говорила, что отец Наташин был богатым человеком.

— И наследницей была одна Наташа?

— Других близких родственников у ее папаши не осталось. А сам он был крупным бизнесменом. Заводик у него имеется, несколько машин, две квартиры в городе, гаражи, дом в Испании, вилла в Италии, даже в Сочи апартаменты успел приобрести. Вроде бы еще что-то, но точно я не знаю.

Да, даже по приблизительной оценке получалась очень приличная сумма. Но правда ли это? Или же всего лишь слухи, вроде истории о романе Василия Петровича и Наташи?

— Нам нужна точная информация, а раз Екатерины Павловны мы не застали, то теперь только к Ване.

Но Ваня появился в усадьбе лишь к ужину. Несмотря на то что раньше он и не обещал быть, подруги просто извелись от тягостного ожидания. Им так нужны были любые новости, способные подтолкнуть их расследование, что, когда машина Вани затормозила во дворе, обе женщины, не сговариваясь, вскочили со своих мест и кинулись на улицу.

— Ну, что тебе удалось узнать?

— Какие появились новости?

— Новости есть.

Несмотря на то что Ваня был предельно лаконичен, сыщицы сразу поняли: у их приятеля припасено для них нечто особенное. Ваня выглядел до того озадаченным и одновременно сияющим, что не надо было долго гадать — своим новостям он придает большое значение.

— Василий Петрович уже дома?

— Дома. Все давно дома. Только тебя дожидаемся.

— Пойдемте и поговорим.

Вид у Вани был до того интригующим, что женщины молча поспешили за ним. Василия Петровича они нашли в библиотеке, где он разговаривал с Натальей Кирилловной.

— Душенька, — миролюбиво, но немного обиженно гудел Василий Петрович, — да как же вы хотите меня в такой ответственный момент и вдруг бросить? Как же я без вас обойдусь?

— Сотрудники достаточно компетентные, они и без меня справятся.

— Нет, Наталья Кирилловна, вы уж, пожалуйста, объяснитесь. В чем дело?

— Не могу я вам всего объяснить, Василий Петрович. Только поверьте мне, будет лучше, если я уволюсь.

— Чем же лучше?

— Не могу вам этого сказать, но только лучше.

— Наталья Кирилловна, если дело в деньгах, то я согласен платить вам вдвое против оговоренного.

— Нет, Василий Петрович, дело не в деньгах.

— А в чем?

Наталья Кирилловна молчала, ей было нечего ответить.

— Выборы на носу, поздно мне уже искать другого руководителя предвыборной кампании.

— Алена Игоревна справится. Она очень способная.

Алена покраснела от этой похвалы, но Василий Петрович не торопился радоваться.

— Алене эта должность была нужна только для того, чтобы поменьше с теткой Верой и Ариной видеться, не выносит она их на дух. Теперь, когда их присутствие нам больше не угрожает, Алена будет только рада отказаться от должности, на которую я ее назначил, отказаться в вашу пользу. Вы что же это... Обиделись, да?

— Василий Петрович, что вы меня мучаете? Ничего я не обиделась. И дело тут совсем не в вас и не в Алене Игоревне, а во мне!

— А что с вами не так?

— Я не могу больше быть руководителем вашей предвыборной кампании. Не имею такого морального права.

— Вот что... Никуда я вас не отпущу! — решительно произнес Василий Петрович. — На переправе коней не меняют. Закончатся выборы, тогда и уходите. А до тех пор... будьте добры, выполняйте взятые на себя обязательства.

— Значит, не отпустите?

— Нет.

— Ну смотрите, я вас предупредила!

И Наталья Кирилловна вылетела из кабинета, едва не сбив с ног Ваню. Даже не извинившись, она кинулась бежать прочь, не обращая внимания на направленные на нее удивленные взгляды.

Василий Петрович вышел за ней и, увидев Ваню, кивнул ему:

— А, Ваня, привет!

И обняв Алену, прибавил:

— У меня хорошие новости.

— Ты про Наталью Кирилловну? Рад, что она хочет уйти от нас?

— Что? Уйти? — рассеянно откликнулся Василий Петрович. — Да выбрось ты это из головы. Никуда она не денется. Небось прибавки хотела, вот и все дела. Дам я ей эту прибавку, она и успокоится.

Хотя Алене казалось, что дело тут совсем в другом, а вовсе не в прибавке жалованья, она спорить с мужем не стала и вместо этого спросила у него:

— А что за хорошие новости?

— Аленушка... Родная моя... Я тебе до сих пор не говорил... Не хотел тебя волновать... Но в прошлый визит в полицию Терентьев намекнул мне, что ходят слухи, будто бы я и эта покойная девочка Катерины Павловны... Ну, будто бы мы с ней были в любовной связи.

Значит, правильно она боялась! Вранье Наташи все-таки сделало свое черное дело.

— И что? — дрогнувшим голосом произнесла Алена.

— И я сдал материал для экспертизы. Ну, ты понимаешь, какой экспертизы?

Алена кивнула головой. Конечно, она понимала.

— И вот буквально несколько минут назад мне позвонил следователь, он сказал, что результаты экспертизы ДНК однозначно показали, что в ночь убийства Наташка была не со мной!

У Алены словно камень с души свалился, и она радостно воскликнула:

— Так я это и так знаю.

— Знаешь? — удивился Василий Петрович.

— Да. И я, и Инга, мы обе уже это знаем.

— И откуда?

— Долго рассказывать, — махнула рукой Алена. — На самом деле у Наташи был роман с нашим шофером, с Мишей. А про тебя они наплели, чтобы

Екатерина Павловна не цеплялась к дочери и разрешила той гулять по ночам.

— Вот это интересно! — возмущенно надулся Василий Петрович. — А ну-ка... Позови мальчишку ко мне! Ишь чего удумал!

— Миша не убивал Наташу, — вступилась за шофера Алена. — Он всего лишь надеялся, что они с Наташей поженятся и он сумеет добраться до ее богатства.

— Какого еще богатства?

— Наследство... Наташа должна была после гибели своего отца получить приличное состояние.

В этот момент Ваня издал странный звук, нечто среднее между кашлем, храпом и хрипом. Но что бы это ни было, прозвучало оно так громко, что все вздрогнули.

— Что?

— Ваня, что такое?

Но Ваня показал глазами на двери библиотеки.

— Зайдем туда... Не хочу, чтобы нас кто-нибудь слушал.

После того как все расположились за круглым столом, стоящим в центре комнаты, Ваня приступил к рассказу.

— В общем, когда я приехал, ребята из отделения уже знали, что Наташка у нас была богатой наследницей. И о том, что ее папаша месяц назад на тот свет угодил, тоже знали.

— А правда, что он был богатым фабрикантом?

— Ну, фабрика у него имелась, что да, то да. Но не это главное. Знаете, кто был его первой женой?

— Екатерина Павловна, наверное.

— Нет, с ней он расписан даже не был, — пренебрежительно отмахнулся Ваня. — Наташу своим ребенком признал, алименты ей платил, но и только. А вот женат он был совсем на другой женщине. И знаете, как была ее девичья фамилия?

Вопрос этот относился к Василию Петровичу, который с ожиданием смотрел на Ваню и не догадывался ни о чем.

Ване явно не терпелось это сказать, и подруги не заставили его долго мучиться.

— Скажи!

— Зыкова! — выпалил Ваня.

— Как? — ахнул Василий Петрович.

— Зыкова, — повторил Ваня и для устранения всякого недопонимания добавил: — Зыкова Анастасия Сергеевна!

— Не может быть! — всплеснул руками Василий Петрович, пока подруги хлопали глазами, пытаясь прийти в себя от изумления.

— Не верю! — наконец выдавила из себя Алена.

— Ага! Не может быть, — подтвердила Инга.

— Точно вам говорю! Отец Наташи и муж нашей Зыковой — одно лицо!

В комнате повисла продолжительная пауза. Получалась и впрямь «Санта-Барбара». Разведенная супруга погибшего фабриканта приезжает в «Дубочки», чуть ли не в гости к любовнице своего бывшего мужа и его дочери. И не просто приезжает, но еще и посещает сеансы мануальной терапии у своей бывшей соперницы.

— А не могла ли Екатерина Павловна и прирезать эту Зыкову?

— Зачем?

— Из былой ревности. Или, может, потому, что Зыкова в свое время не отпустила мужа и не позволила тому жениться на Екатерине Павловне и законно воспитывать Наташу.

— Ну, допустим, одну Зыкову — могла. А тетку Веру? А Наташу?

Все замолчали. Если насчет тетки Веры у них еще были какие-то сомнения, то насчет Наташи сомнений быть не могло. Екатерина Павловна свою дочь обожала, и даже легонько шлепнуть любимое дитя у нее рука никогда не поднималась. Что уж говорить о такой жестокости!

— Разве что Екатерина Павловна узнала, что дочь ее обманывает и встречается совсем не с Василием Петровичем, а с простым шофером? — нерешительно произнесла Алена, сама понимая дикость подобной версии.

— А тетку Веру тогда за что?

— За ее злой язык!

Это объяснение тоже было сильно притянуто за уши. Екатерина Павловна никак не производила впечатление человека, способного на три убийства, да еще совершенных за такое короткое время. Но все же сыщики решили не сбрасывать Екатерину Павловну со счетов совсем. Дама в белой шляпе, запечатленная на записи из «Никитского», походила на костоправшу и ростом, и телосложением.

— Чем больше подозреваемых, тем лучше. Когда отсеются все лишние, останутся лишь те, кого стоит реально подозревать.

Главным, что теперь интересовало сыщиков, был вопрос о том, зачем Зыкову потянуло в «Дубочки»?

— Я наводил справки, в этот раз она приехала к нам отдыхать буквально через несколько дней после того, как тела ее бывшего супруга и его новой жены были доставлены в Россию и захоронены.

— Может, место у Зыковой было забронировано заранее?

— Я спрашивал в гостинице. Там говорят, что бронь у нее и впрямь была, но только на более позднюю дату, аж на август месяц. Так что Зыкова приехала гораздо раньше, чем намеревалась вначале. Номер для нее нашелся, так что она поселилась и начала посещать указанные процедуры.

— Странно, — заметила Алена. — Если предположить, что Зыкова узнала о смерти своего бывшего супруга и примчалась в «Дубочки», чтобы сообщить о том Екатерине Павловне и Наташе, то почему она как ни в чем не бывало принялась за лечение?

— А что, если это было ей нужно для того, чтобы отвести подозрения от истинной цели своего приезда?

— И какой?

— Убийство соперницы!

Все уставились на Ингу, произнесшую эту фразу таким жутким замогильным голосом, что мороз пробежал по коже у собравшихся.

— Ка... какой соперницы? — даже начал заикаться Ваня. — Кого Зыкова собиралась убить? Ведь не Екатерину же Павловну! Сколько воды утекло с тех пор, как они были соперницами!

— Нет, не Екатерину Павловну.

— А кого же?

— Наташу!

Так как все друзья смотрели на нее непонимающе, Инга попыталась объяснить:

— Зыкова — бывшая жена Гребешкова, отца Наташи. И как пусть и бывшая, но все же родственница, Зыкова имеет некоторые права на его наследство.

Видя, что друзья все еще не до конца ее понимают, Инга договорила свою мысль:

— Ведь мы слышали, что, кроме Наташи, у Гребешкова близкой родни не осталось. И если бы Наташа умерла, то у Зыковой были все шансы заграбастать состояние покойного бывшего супруга или по крайней мере какую-то его часть.

Василий Петрович покачал головой:

— Все это хорошо, но ты не учитываешь того обстоятельства, что Зыкова погибла первой. А значит, она не могла убить Наташу.

Инга смутилась.

— Действительно... Что это я...

— Ну ничего, — снисходительно прогудел Василий Петрович. — Ошиблась. Со всеми бывает.

Но Алена заступилась за подругу:

— А я вот считаю, что Инга не так уж и ошиблась. Может быть, Зыкова и не убивала Наташу, но самих Зыкову и Наташу запросто могли убить из-за этого чертова наследства!

— Кто?

— Какие-нибудь другие претенденты на него. Не факт, что если у Гребешкова не было близких родственников, то у него так же не было и какой-нибудь дальней родни.

— Придумала тоже! — отмахнулся Василий Петрович. — И что, прикажешь всю родню Гребешкова проверять? И до какого колена?

— А тетка Вера за что пострадала? — поддержал его Ваня. — Или, по-вашему, она этому Гребешкову тоже родня?

В его голосе звучало столько сарказма, что Алена с Ингой замешкались и замолчали.

— Нет, товарищи, — произнес Василий Петрович, — у меня другое предположение. Следователь, когда мне сегодня с извинениями звонил, мало того что сказал о том, что подозрения в убийстве Наташи с меня окончательно сняты, еще и поинтересовался, занялись ли мы проверкой наших новых сотрудников. И вот что я в связи с этим подумал...

И обведя своих друзей заговорщицким взглядом, он произнес:

— Наталья Кирилловна!

— Что?

— Моя ближайшая помощница. Мы с вами, проверяя всех новеньких, совсем упустили ее из виду.

Все пораженно молчали. Никому до сих пор не пришло в голову, что можно заподозрить в случившихся преступлениях интеллигентнейшую Наталью Кирилловну. Как-то не вязались такие зверства с ее утонченной натурой.

— Вася, она живет тут уже почти год. И за это время ни разу не дала повода для каких-либо подозрений в нечистоплотности.

— Так то было раньше, а теперь все изменилось. Вы сами слышали наш с ней сегодняшний разговор. Между прочим, она заговаривает о том, чтобы уйти, уже не первый раз.

— Ты мне этого не говорил.

— А чего тут говорить? Я думал, что дело в деньгах, а сейчас подумал: вдруг не только?

Все внимательно посмотрели на Василия Петровича. И он продолжал:

— Я вот тут подумал: как ни крути, а два первых трупа были обнаружены у нас в «Дубочках». Третье убийство могло быть совершено для отвода глаз. Да и как для отвода глаз? Прямехонько в цель оно угодило! Ведь именно меня или моих близких в убийстве тетки Веры полиция в первую очередь и заподозрила.

— И что ты хочешь этим сказать?

— А то, что не проследить ли нам за милейшей Натальей Кирилловной? Куда это она каждый вечер убегает?

Эта мысль закрадывалась в голову Алены и раньше, но она как-то не придавала ей особого значения. Да, ей было любопытно, что за кавалер объявился у Натальи Кирилловны, но лезть в личную жизнь этой дамы ей казалось неправильным. Но то было тогда... еще до случившихся убийств. А теперь все изменилось.

— И потом... сейчас я вот подумал: а чего это она так из «Дубочков» рвется? Раньше я такого за ней не замечал. То ей все нравилось у нас, а теперь получается, что вроде как тут для нее клетка, а она на свободу просится. Раньше такого не было.

Никто не стал возражать Василию Петровичу, потому что и впрямь раньше такого не было. Теперь взгляды переместились в сторону Вани, который вроде как был ответственным у них в поместье за всякие дела, связанные со слежкой, шпионажем и тому подобным.

— Проследить? — задумчиво произнес тот. — За Натальей Кирилловной?

— Да.

— Есть! — взял под воображаемый козырек Ваня. — Будет исполнено.

— Наталья Кирилловна обычно сразу после ужина поднимается к себе, переодевается, а потом убегает. Возвращается назад только к полуночи или даже позднее. И это бывает почти каждый вечер.

— Так... сейчас у нас будет ужин, значит, мне пора. Надо успеть все приготовить.

И Ваня направился к дверям. Но Инга, которой было очень любопытно, что он затевает, поспешила за ним.

— Ваня, можно мне тоже с тобой?

На мгновение мужчина притормозил, на его лице отразилось недоумение.

— Со мной?

— Ну да, можно я тоже буду следить за Натальей Кирилловной?

— В смысле... вы и я?

— Ну и, наверное, еще твои люди. Так ты как? Согласен?

Ваня обрадованно затряс головой.

— Если хотите, то я всегда готов!

— Вот и отлично.

— Жду вас после ужина у выхода.

— Спасибо тебе, Ваня.

Несмотря на полученное от Вани согласие, Инга почему-то чувствовала себя разочарованной. Она знала, в чем причина ее состояния. Вот если бы на месте Вани был Залесный! Вот если бы это он так охотно и с такой готовностью кидался бы исполнять любое ее пожелание! Но нет, Залесный предпочитал валяться перед телевизором, сжимая в одной руке что-нибудь вкусненькое, а в другой — пульт. И на все просьбы Инги в самом лучшем случае откликался: «Слышу, солнышко, уже иду». И никуда не шел. Или просто молчал, то ли делая вид, что не слышит ее голоса, то ли и впрямь не обращая внимания на этот раздражитель. Ну жужжит себе муха — и пусть жужжит.

Тот факт, что был уже вечер, а Залесный так и не удосужился позвонить Инге, еще больше усугубляло состояние ее печали. Она знала, что ночью оно усилится многократно, и была готова на любую бесшабашную выходку, лишь бы не дать волне отчаяния и гнева накрыть себя.

Ужин, который по распоряжению Василия Петровича слегка затянулся, прошел в попытках хозяев завести непринужденный разговор, который разбивался о стену молчания Инги и Натальи Кирилловны. Инга думала о Залесном и о том, какой же он подлый мерзавец, что до сих пор не звонил ей. Ну а Наталья Кирилловна тоже о ком-то думала, судя по ее нетерпеливому поерзыванию на стуле и взглядам в сторону часов на стене.

Давно уже миновало обычное время окончания ужина. Но Василий Петрович, казалось, этого и не замечал вовсе. Также прислуга не несла обычный чай. Это было сделано специально, по приказанию Василия Петровича. Но его помощница об этом не знала, не понимала причины задержки окончания трапезы и ерзала на стуле все сильнее.

Наконец Наталья Кирилловна не выдержала. Поднявшись со своего места, она сказала, что чая ей совсем сегодня не хочется и что она лучше пойдет и прогуляется.

— Не держу вас, дорогуша, — прогудел Василий Петрович.

Но когда Наталья Кирилловна уже порхнула в сторону двери, остановил ее вопросом:

— А куда это вы торопитесь?

— Подышать свежим воздухом, я же уже сказала!

Ответ прозвучал немного резко. А если учесть, что речь шла о Наталье Кирилловне, всегда безупречно вежливой и выдержанной, то и вовсе грубо. Но Василий Петрович ничуть не обиделся, напротив, он казался даже довольным. Ничего больше не прибавив к своим словам, он откинулся на спинку стула и улыбнулся.

Инга тоже вышла следом за Натальей Кирилловной. Но, хотя прошло всего несколько минут, выйдя на крыльцо, Инга увидела лишь подол светлого платья женщины и ее пятки. То и другое мелькало уже довольно далеко от дома. Похоже, едва выйдя из дверей, Наталья Кирилловна пустилась по дорожке к ближайшей роще чуть ли не бегом.

И тут же рядом с Ингой, словно из пустоты, возник Ваня.

— Воздухом ей подышать захотелось... как же! — хмыкнул он.

— Ваня, а чего ты тут? — удивилась Инга. — А кто же следит за ней?

— Ребята мои проследят.

— А ты?

— А я тут побуду... с вами.

— Нет, я имела в виду, разве мы не будем следить за Натальей Кирилловной?

— Лично хотите участвовать? Могу это организовать.

— Да, я на это и рассчитывала.

Не спуская глаз с Инги, Ваня поднес к губам рацию.

— Шестой, как у вас ситуация?

— Они встретились.

— Кто?

— Объект и какой-то мужчина.

— Кто он?

— Лица не разобрать. Сумерки.

— Но хотя бы приметы!

— Ростом выше ее почти на голову, не старый, одет чисто, плечи широкие, торс накачанный.

— Узнайте поточнее и сообщите мне.

— Есть!

И рация замолчала.

— Видите, Инга, у нас с вами есть время, чтобы провести его в свое удовольствие.

— Но как же слежка...

— Не волнуйтесь вы так! В этом лесу мои архаровцы чувствуют себя словно дома. Им там каждое деревце знакомо, каждый камешек — их друг. Пока вы ужинали, у них было время осмотреться. К счастью, Наталья Кирилловна очень любит эту рощицу, так что я почти не сомневался, куда она двинется после ужина. Ребята обязательно выяснят, что за кавалер нарисовался у нашей Снежной Мадам. И если получится, то даже подслушают, о чем эти двое воркуют между собой.

Но Инга не могла быть так спокойна, как Ваня.

— Погоди! А вдруг этот тип и есть убийца?

Лицо Вани стало более серьезным.

— С чего вы взяли?

— Приметы подходят. В полиции твердят, что в убийствах замешан один и тот же человек — высокий, сильный, предположительно, мужчина. А вдруг это тот самый тип? И вдруг он именно сейчас хочет Наталью Кирилловну, как тех... остальных... ножом?

— Черт, — и вовсе озаботился Ваня, — а я об этом и не подумал! Действительно, мужик-то мутный. Кабы нечего ему было скрывать, так он бы, как все люди, при свете дня за своей зазнобой к нам прикатил. А он в темноте... В роще...

— Тайком от всех.

— Значит, есть ему, что скрывать!

— Вот и я о чем! Алена сказала, что мужчина у Натальи Кирилловны уже давно появился. А она никому про него ни единого словечка. Алена ее прямо спрашивала, а она — ни гу-гу!

— Прямо так и ни гу-гу? — озаботился еще сильнее Ваня. — Черт, нехорошо получается!

Схватив рацию, он снова поднес ее к губам.

— Первый, ответь, мужик вооружен?

— Так не видно, — отозвался голос из рации. — Но в брюках что-то оттопыривается.

— Если последует хотя бы малейшая угроза с его стороны для объекта, нейтрализуйте!

— Оружие применить разрешите?

— Постарайтесь обойтись без него, но, если не получится, применяйте.

— Есть!

Рация снова замолчала. Но на сей раз романтическое настроение у Вани не торопилось возвращаться. И Инга была этому только рада. Ей было нелегко общаться с Ваней, когда он вспоминал о том, что любит ее. Потому что в такие моменты Ваня был в ее руках, словно мягкая глина, управлять им было необычайно легко, но... но при этом Инга никак не могла избавиться от мысли: а вот если бы на месте Вани был тот... другой!

Она исподтишка принялась рассматривать Ваню. Ну и чем он ей не нравится? У него круглая голова, гладко выбритая, но это ему идет. Широкую шею опоясывает тяжелая цепь с массивным золотым крестом, но, учитывая общую комплекцию Вани, это украшение смотрится на нем даже органично. Странно было бы увидеть такого крупного мужчину с маленьким, едва различимым во впадине грудных мышц крестиком.

Рубашка на груди у Вани была слегка расстегнута, и Инга невольно подумала о том, какое сильное и мужественное у Вани тело. Совсем не то, что у ее Залесного, который хоть и умный малый, но ни ростом, ни бицепсами похвастаться не может. Да и здоровье у него, откровенно говоря, пошаливает. А вот Ваня, сколько помнила себя Инга, никогда и ничем не болел. Даже легкий насморк не приставал к Ване, пугаясь его богатырского здоровья.

И все же, находясь рядом с этим красавцем, вполне обеспеченным и явно влюбленным в нее, Инга невольно поглядывала в сторону своего молчащего телефона.

И почему так получается, что мы куда чаще любим тех, кто этого чувства совсем не достоин? И почему чувства тех, кто любит нас, оставляют нас чаще всего равнодушными? Инга подозревала, что ответы на эти вопросы принесли бы ей полнейшее счастье, настоящую нирвану. Но так же она подозревала, что не достигнет этого состояния никогда.

Глава 13

Ваня недолго пробыл в задумчивости. Минут десять он озабоченно походил взад и вперед перед Ингой, хмурясь и что-то бормоча себе под нос, а потом рация у него в руках снова ожила.

— Есть! — раздался в ней знакомый голос то ли Первого, то ли Шестого, то ли их обоих вместе. — Мы его взяли!

— Отлично! — обрадовался Ваня.

Но голос в рации не спешил разделить его чувства.

— Вам надо на это взглянуть... поскорее.

Этого Первый-Шестой мог бы и не говорить. Ваня и сам рвался взглянуть на задержанного. Он поспешил по дороге, по которой около часа назад ушла Наталья Кирилловна. Инга поспешила следом за Ваней. Она ни за что не пропустила бы это зрелище. Однако Ваня в пылу усердия здорово оторвался от нее, так что Инга даже на какое-то время потеряла из виду его широкую спину и растерялась: куда ей двигаться дальше? Но тут справа от нее из зарослей деревьев раздался знакомый голос Натальи Кирилловны, и сыщица побежала в ту сторону.

Она выскочила на небольшую полянку как раз в тот момент, когда Наталья Кирилловна с возмущением надвигалась на застывшего перед ней Ваню.

— По какому праву ваши люди схватили моего друга? — топала ногами обычно такая невозмутимая женщина. — Что вы себе позволяете?

— Нет, это что вы себе позволяете?

Ваня выглядел ничуть не менее возмущенным, чем стоящая перед ним женщина.

— Это же надо до такого додуматься! Встречаться с этим типом! Тайком!

— Я — свободный человек. С кем хочу, с тем и встречаюсь!

— Но не с врагом хозяина! — кипел все яростнее Ваня. — И еще за его спиной! Никому и ничего не сказав! Да вы предательница!

— Я? — задохнулась от гнева Наталья Кирилловна. — Предательница?

— Конечно! Небось сообщали этому гаду всю информацию про Василия Петровича. А он потом использовал ее в своих гнусных целях!

— Как вам не стыдно! — послышался откуда-то из-под кустов знакомый голос.

Инга с удивлением взглянула в ту сторону. До сих пор ее внимание было привлечено к паре, ссорящейся в центре полянки. Только теперь Инга заметила, что под кустами валяется еще некто третий, также участник событий. И его голос показался Инге знакомым.

— Никитин? — пробормотала она в замешательстве. — Это вы?

— Да! Я! Инга, вы же разумный человек, ради бога, скажите этим ослам, чтобы они с меня слезли!

Инга кинулась на помощь Никитину, которого оседлали сразу трое ребят Вани.

— Отойдите от него! Немедленно!

Охранники заколебались. Один даже начал подниматься на ноги, но Ваня живо навел порядок.

— Не двигаться! — рявкнул он на них. — Инга, марш на место. Тут командую я!

Инга надулась на него. Какой Ваня все-таки хам! Но отойти от Никитина и не подумала. Вместо этого она присела рядом с ним и тихо спросила:

— Что с вами случилось?

— Откровенно говоря, понятия не имею, — шепотом признался тот ей.

— Но почему вас схватили?

— Подозреваю, что меня и мою подругу заподозрили в злодейском сговоре и шпионаже.

И только тут до Инги наконец дошло, кто же был тот таинственный поклонник Натальи Кирилловны, который заставил эту женщину так перемениться, а глаза ее — засиять.

— Так вы и Наталья Кирилловна!.. Боже мой! Вы встречаетесь?

— Ну... можно сказать, да, — смутился Никитин. — До сих пор нам приходилось делать это тайком. Хотя, вообще-то, скажу вам честно, у меня на Наташу большие планы. Я уже неоднократно предлагал ей уйти с работы и перебраться ко мне в усадьбу, но она не соглашается.

— Перебраться к вам? На каком основании?

— На правах моей официальной невесты и будущей жены, — серьезно заявил Никитин.

Вот оно даже как! Инга была искренне поражена. Но в то же время она была рада за Наталью Кирилловну, которой посчастливилось в такой глуши получить свой счастливый шанс. Никитин был еще не стар, хорош собой, богат и умен. Можно сказать, что в нем было хорошо абсолютно все. Просто идеальный жених! А если он еще и не врет и действительно любит Наталью Кирилловну, тогда вообще прекрасно.

Вот уж воистину правду говорят, что судьба, она и под кроватью найдет.

Инга не могла удержаться от любопытства:

— И что же Наталья Кирилловна?

— Она не соглашалась быть со мной официально! Я ее уговаривал. И во время этих уговоров нас и схватили эти... м-м-м... ребята.

Инга кивнула головой.

— Я все поняла.

После чего она поднялась с коленей и снова поспешила к Ване.

— Ваня, прикажи своим людям, чтобы они отпустили Никитина. Он ваш сосед, нехорошо так с ним обращаться.

— А хорошо, что он задурил голову Наталье Кирилловне? — с возмущением произнес Ваня. — Вы бы послушали, что она про него говорит!

— И что же?

— Будто бы он влюблен в нее.

— Может, это и так.

— Ага! — фыркнул Ваня. — Как же! Кому эта амеба замороженная может понравиться? Использовал он ее в своих целях, вот и все! Информацию из нее выуживал!

Наталья Кирилловна, услышавшая эту реплику, так густо покраснела, что изменившийся цвет ее кожных покровов можно было наблюдать даже при скудном свете.

Инга это тоже заметила и возмущенно произнесла:

— Ваня, ты думай прежде, чем говоришь! Это невежливо.

— При чем тут вежливо или невежливо? Не до вежливости сейчас! Говорю вам: Никитин нашу амебу просто использовал!

— О вкусах не спорят. Мне Никитин тоже признался в своих чувствах к Наталье Кирилловне.

— Когда?

— Сейчас.

— Мало ли что он вам сейчас там наплел! Положение-то у него аховое, вот и использует дур вроде вас и Натальи Кирилловны! Вам наплел с три короба, ей — тоже! А если взяться за него хорошенько, то уже через полчаса этот хлюпик расколется и признается, что с Натальей Кирилловной замутил только для того, чтобы планы Василия Петровича относительно выборов порушить! Это же ясно как день. И только круглые идиотки могут думать, что им двигали какие-то иные чувства.

Инга, которую походя оскорбили, окончательно обиделась и отошла в сторону. Но Наталья Кирилловна не собиралась сдаваться. Она продолжала наскакивать на Ваню, требуя от него и его людей, чтобы они освободили ее возлюбленного. Ваня потихоньку наливался гневом и свирепел все больше, и неизвестно, чем бы все это закончилось, вполне возможно, что Наталья Кирилловна разделила бы судьбу своего кавалера, но в этот момент на полянке появились новые действующие лица.

Кусты раздвинулись, и из-за них выглянули Василий Петрович, Алена и несколько охранников. Василий Петрович мгновенно разобрался в ситуации. Видимо, он уже был проинформирован о том, кого удалось задержать Ване и его людям, потому что быстро прошел в сторону сжавшегося в комок Никитина. Но напрасно тот боялся суровой расправы: Василий Петрович был настроен миролюбиво.

— Поднимайтесь, мой дорогой, — произнес он, обращаясь к Никитину и одновременно делая знак охранникам оставить свою жертву. — Я также приношу вам извинения за слишком поспешные действия моих людей.

— Да чего уж там... — отряхиваясь от сосновой хвои и листьев, налипших на его одежду, произнес Никитин. — Сам виноват. Надо было сразу же пойти к вам и попросить разрешения встречаться с вашей сотрудницей. А я как мальчишка... ночью... тайком... Это вы меня извините!

И бывшие противники от души пожали друг другу руки. Ваня наблюдал за этой сценой, мрачно нахмурив брови и неодобрительно покачивая головой.

— Василий Петрович, — не выдержал он, — что вы слушаете этого обманщика! Этот тип вас всех дурит! Мои ребята не просто так его скрутили. Вы бы прежде, чем ручку ему пожимать, спросили у меня, что у этого типа в руках было, когда на него ребята набросились.

— И что же?

— А вот что!

И Ваня торжественно указал на некий предмет, лежащий на траве.

— Нож! — воскликнула Инга, в душе которой мгновенно воскресли все подозрения насчет Никитина.

— Вот именно... — подтвердил Ваня. — Нож. И как погляжу, нож-то вроде того, каким уже трех женщин убили. Надо его на экспертизу сдать!

Теперь уже Никитин выглядел возмущенным.

— Ну знаете что... У вас вон в кармане, как я много раз наблюдал, тоже нож имеется.

— И что? Он мне нужен! Я его всегда с собой ношу.

— И я ношу. Только вовсе не для того, чтобы убивать им беззащитных женщин. Просто он мне нужен. Впрочем, если хотите, я могу его отдать экспертам, пусть они решат, тот это нож или нет.

— Вот и хорошо! — одобрил его действия Василий Петрович. — Рад, что мы все так быстро решили. Прошу всех проследовать за мной в «Дубочки». Обсудим ситуацию в более подходящей обстановке.

Даже после добровольного согласия на изъятие ножа Ваня по-прежнему совершенно явно не доверял Никитину и не одобрял действия своего хозяина. Но так как он сознавал свое место и знал, кто тут главный, то и держал язык за зубами, лишь ворча, словно старый пес.

Поднявшись и еще раз отряхнувшись, Никитин вместе с неотходящей от него ни на шаг Натальей Кирилловной отправился в усадьбу к Василию Петровичу. Там мужчины уединились в кабинете, где пробыли совсем недолго, и вышли с довольными и даже счастливыми лицами.

— Так что... — спросил Никитин у Василия Петровича, могу я считать себя официальным женихом Натальи Кирилловны?

— Вы у нее спросите. Если она согласна, то с моей стороны никаких возражений нет. Их и раньше быть не могло, а уж теперь, после нашего с вами договора, — и подавно.

Никитин кивнул и повернулся в сторону Натальи Кирилловны. Вид у него был взволнованный, а руки вроде бы даже дрожали.

— Дорогая... — обратился он к ней, и стало ясно, что голос у него тоже дрожит. — Понимаю, что сейчас не то время и не то место, чтобы об этом спрашивать... Но все-таки ответь мне перед всеми этими людьми: ты согласна стать моей женой?

Наталья Кирилловна покраснела, как давеча в лесу. Только теперь при электрическом свете ее румянец выглядел еще ярче и сочнее. Глаза ее засияли, словно звезды. И всем наконец стало окончательно ясно, что влюбленная Наталья Кирилловна — это совсем не то, что Наталья Кирилловна, заваленная работой и махнувшая рукой на свою женскую привлекательность.

Даже Ваня смотрел на нее теперь выпучив глаза. Похоже, он наконец разглядел в Наталье Кирилловне женщину и удивлялся, как до сих пор не видел этого.

Никитин тоже выглядел еще более взволнованным, чем в начале своей краткой речи.

— Так что? — внезапно охрипшим голосом переспросил он у Натальи Кирилловны. — Ты... ты согласна?

— Да! — воскликнула женщина, и все облегченно перевели дыхание. — Конечно! О, мой дорогой!

И она кинулась к Никитину, повиснув у него на шее. А тот, наклонившись, нежно целовал ее прямо в губы. У Инги при виде этой сцены невольно увлажнились глаза, и она почувствовала себя одновременно счастливой и очень-очень несчастной. Вот если бы ее Залесный чувствовал к ней хоть половину такой любви, как Никитин к своей Наталье Кирилловне! Но чего нет, того нет. Нечего на такое счастье и надеяться.

И Инга отвернулась, чтобы не завидовать этим двоим слишком уж сильно. Довольно с нее чужого счастья, так уже хочется заполучить свое собственное!

После благополучного обручения с любимой женщиной Никитин пожелал немедленно отправиться к себе. И непременно, чтобы Наталья Кирилловна отправилась вместе с ним.

— Наконец-то я познакомлю тебя с мамой, — сказал он Наталье Кирилловне. — Иди и собери свои вещи.

Услышав это, женщина вопросительно взглянула на Василия Петровича.

— Вы меня все-таки увольняете?

— Даю вам завтра выходной день. Но только один. Послезавтра к девяти утра жду вас, как обычно, у нас в «Дубочках»!

— Привезу ее вам лично, — пообещал Никитин.

И когда счастливая Наталья Кирилловна, сопровождаемая горничными с двумя небольшими чемоданами в руках, вышла на улицу, Никитин повернулся к Василию Петровичу и произнес:

— Я помню о нашей с вами договоренности. Не беспокойтесь.

— Я и не беспокоюсь, я вам верю. Будьте счастливы.

Когда эта пара уехала, Алена спросила у мужа:

— О чем это вы с ним договорились?

— С кем?

— С Никитиным.

— Так... — отвернулся от нее Василий Петрович, — сущая ерунда.

— А все же?

— В свое время узнаешь.

Не пожелав больше ничего объяснить на этот счет, он от души зевнул и предложить всем отправляться в спальни.

— Время уже позднее. Раз больше у нас в «Дубочках» сегодня никто обручиться не хочет, предлагаю всем идти спать.

Алена первой поспешила следом за мужем. Она явно не оставила идею выведать у Васи, о чем же он все-таки договорился с Никитиным. Любопытство Алены было распалено, и, чтобы спокойно уснуть, ей надо было узнать истину.

Инга тоже отправилась к себе. Ее кратковременная вспышка нежных чувств к Ване угасла так же быстро, как и вспыхнула. И снова Инга принялась ломать голову над тем, чем же таким важным занят ее Залесный, что даже не может позвонить ей. Чем больше она об этом думала, тем сильнее расстраивалась. Потому что, как ни крутила, как ни прикидывала Инга, она никак не могла найти этому объяснения.

— Что ему стоит взять трубку и просто спросить, как у меня дела? — сердито пробормотала Инга. — Нет, похоже, ему совсем не интересно, что со мной.

С этой мыслью она и заснула, глубоко несчастная и разобиженная на Залесного, а заодно и на всех других мужчин на свете.

Алена тоже провела эту ночь не лучшим образом. Сначала она долго не могла заснуть, обижаясь на своего мужа, который так и не пожелал открыть ей тайну договора с Никитиным. Потом ворочалась с боку на бок, размышляя о том, что если любовник Натальи Кирилловны разоблачен и, похоже, не имеет отношения к случившимся убийствам, то где же им тогда искать злодея?

Наконец, утром, когда она встала и спустилась вниз, ее чувствам был нанесен еще один сокрушительный удар. Потому что, открыв дверь, она обнаружила на пороге Арину с многочисленными чемоданами.

— Прикинь, — вместо приветствия произнесла она, — оказывается, эта сволочь женится!

Алена с трудом вернула нижнюю челюсть на место и вместо того, чтобы прогнать Арину подальше, машинально осведомилась:

— Ты это про Никитина?

— Ну да! Мы с мамой думали, что он на меня западет. Все для этого делали. Даже к его мамаше подлизывались. А он...

— Не оценил ваших усилий?

— Не оценил, — ни моргнув глазом подтвердила Арина. — Правда, гад?

Алена молчала, не зная, что вообще можно сказать в таком случае. А Арина, видимо, вспомнив, что расстались они не самым лучшим образом, поспешно заговорила:

— Ты не думай, это все мамина затея насчет телевидения. Очень уж она на тебя обозлилась, когда ты денег для нас пожалела да еще и нахамила.

— Я? Нахамила?

Но тут же Алена осеклась. Вполне возможно, что в интерпретации тетки Веры их разговор и мог так выглядеть. Вот только сама тетка Вера мертва, ворошить связанное с ней прошлое Алене не хотелось.

— Так ты пришла извиниться?

— Вообще-то я тут совершенно ни при чем. Если хочешь знать, меня мама заставила на телевидении выступить.

— И в дом к Никитину тоже она заставила тебя перебраться? И планы на его счет строить — тоже она?

Алена не скрывала своей иронии, но Арина, кажется, ее не поняла.

— В общем, я уезжаю! — заявила она и тут же потребовала у Алены: — Помоги мне перевезти тело мамы в город.

— Что?

— Самой мне не справиться. Это дорого, а у меня денег нет. Но думаю, у тебя они есть. Хотя бы это ты можешь для нас сделать!

— Могу и сделаю, — кивнула головой Алена, хотя, положа руку на сердце, даже этого ей делать для противной Арины и ее еще более противной мамаши не хотелось.

Но Алена напомнила себе, что тетка Вера была подругой ее собственной мамы, а теперь она мертва, а с Ариной они знакомы с детства, и, вздохнув, повторила:

— Я все сделаю. Но...

— Что?

— Разве ты не хочешь задержаться у нас?

— Зачем?

— Хотя бы для того, чтобы участвовать в поисках убийцы твоей матери.

На какое-то мгновение Арина, кажется, смутилась, но уже через секунду на ее лице появилось обычное брюзгливое выражение:

— Маму уже не вернешь. Ни к чему мне тут больше задерживаться.

— И когда ты хочешь ехать?

— Так быстро, как это только возможно.

Произнеси Арина эти слова несколькими днями раньше, Алена бы расцеловала ее за это. Но сейчас она насторожилась.

— Что это ты вдруг так заторопилась?

— А что мне тут у вас делать? Поеду, дела у меня.

— Дела?

Эта фраза воскресила в памяти Алены просьбу тетки Веры, которую вполне можно было считать предсмертной.

— Арина, твоя мать просила у нас денег на твое обучение...

— Знаю!

Голос Арины звучал грубо, и она сама вроде бы была раздосадована. Но Алена, не обращая на это внимания, продолжила:

— И я хочу тебе эти деньги дать. Может быть, не всю сумму сразу, но...

— Не нужно! — перебила ее Арина.

— Почему? — удивилась Алена. — Если тебе неловко или ты все еще сердишься на меня, то я хочу извиниться перед тобой. Прошу, возьми эти деньги.

— Что извинилась — это хорошо.

Как никогда прежде, Арина в этот момент напоминала Алене свою мать — тетку Веру. Обычно Алене казалось, что Арина совсем не похожа на мать, скорей уж дочь пошла в никогда Аленой не виданного папашу. Но в этот момент, когда она язвительностью отвечала на искренние извинения Алены, дочь показалась точной копией тетки Веры.

— Извинения я принимаю. Но деньги мне твои все равно не нужны.

— Нет?

— Нет.

— Точно?

— Точно.

— Но ведь они были тебе нужны!

— Ага! А теперь вот не нужны. — Голос Арины звучал издевательски. — Да и вообще, если хочешь знать, скоро я стану завидной невестой. Этот Никитин еще пожалеет, что отказался от меня. Его-то избранница, насколько я помню, по доброте Василия Петровича у вас дома в приживалках обитала, денег своих у нее нет, капитала она мужу не принесет. А я вот могла бы сделать Никитина еще богаче и еще влиятельнее, да, видно, не судьба. Другого кого-нибудь осчастливлю.

Алена слушала и не знала, как ей реагировать на услышанный бред. Нищая Арина кого-то там решила облагодетельствовать? Да они с матерью всю жизнь разве что не побирались. И с каких барышей вдруг эта подпольная миллионерша решила благодеяния всем подряд оказывать?

— Ты шутишь? — наконец спросила она у Арины.

— Даже не думала! Слушай, я проголодалась, есть хочу ужасно. От Никитина я, как рассвело, умотала. Он ведь свою Наталью Кирилловну к нам среди ночи привез, всех слуг разбудил, мать даже из кровати поднял. Ну, эта старая маразматичка в слезки ударилась.

— Зачем ты так говоришь? Она симпатичная старушка.

— Симпатичная... Как же! Кретинка она полная! Я-то думала, что она на моей стороне. Что мне с ее помощью удастся Никитина на себе женить. А стоило этой Наташке в дом явиться, как старуха про меня и думать забыла. Вся такая в радости, надо же, какое счастье, сынок голь перекатную в дом в качестве невестки притащил! Да еще одним махом и с карьерой политика покончил.

— Как покончил?

— А ты что, ничего не знаешь? — Арина с любопытством взглянула на бывшую подругу, но все же снизошла и ответила ей: — Некогда теперь нашему Никитину в политику рваться, он нынче у нас счастливый жених, а потом и муж. Когда они с Наташкой поженятся, так сначала в свадебное путешествие вокруг света отправятся, а как вернутся, детишек будут строгать, а потом воспитывать. Одним словом, Никитин твоему Василию Петровичу отныне не помеха! Снял он свою кандидатуру с выборов!

Так вот о чем шушукались Никитин с Василием Петровичем у того в кабинете! Вот о чем упоминал Никитин перед уходом. И вот почему Василий Петрович выглядел таким радостным. В очередной раз Алена подивилась пронырливости Арины, которая сумела вынюхать и разузнать то, что самой Алене узнать не удавалось, несмотря на всю благоприятность ситуации.

В этом Арина тоже была похожа на свою мать. Та всегда была в курсе всех сплетен, и от ее маленьких пронзительных глазок ничто не могло укрыться.

Тем временем Арина подергала Алену за руку:

— Распорядись, чтобы слуги притащили чего-нибудь пожрать, а потом я сразу же поеду в город.

Потрясенная новостями, которые принесла приятельница, Алена лишь кивнула головой. Когда завтрак был подан, Арина тут же приступила к нему. Аппетит у нее был отменный. Она в одиночку умяла яичницу из пяти яиц с двумя внушительными ломтями жареной ветчины, вылила половину кофейника себе в чашку, густо разбавив свежими сливками, и на десерт еще взяла парочку булочек с изюмом и маком, про который хоть и ворчала, что он застревает в зубах, однако умяла обе, да еще и с собой в сумку запихнула.

— В поезде пригодится. Ну что? Давай прощаться, что ли?

Обняв Алену, она сказала:

— Как доеду, звякну. А ты уж тут все подготовь, чтобы тело матери в город отправить за мной следом.

— Хорошо. Я все сделаю. Но разве ты не хочешь поехать вместе с ней?

— Еще чего, — нервно произнесла Арина. — Сказано же тебе: дела у меня. Да и глупости это все. Мамаша и одна нынче отлично доедет.

С этим замечанием Арина вышла за дверь, оставив Алену в полнейшем недоумении. Разумеется, она и прежде замечала, что если тетка Вера обожала свою дочь, то со стороны Арины к чувству любви была добавлена изрядная толика раздражения и даже злобы. В чем винила Арина свою мать, сказать никто не брался. Тетка Вера всю свою жизнь положила на то, чтобы вырастить Арину в максимально комфортных условиях.

Только почему-то любви дочери к тетке Вере эти старания ничуть не прибавляли. И теперь, когда пришел черед Арины платить по счетам, она даже не хочет ехать вместе с телом матери.

Однако Алена поспешила напомнить самой себе, что, во-первых, она не должна никого осуждать, это нехорошо. А во-вторых, Арина сейчас находится в состоянии шока. Если даже это по ней и незаметно, наверняка она в душе глубоко переживает смерть матери.

Но, когда она рассказала об этом разговоре Василию Петровичу, он выразился со свойственной ему прямолинейностью:

— Дрянь... она, твоя Арина! И я очень рад, что она умотала из наших мест!

Инга, также присутствующая при этом разговоре, поинтересовалась о предмете более материальном:

— А что, Арина взяла у тебя деньги, которые просила ее мать?

— Представь себе, нет, — все еще с удивлением ответила Алена. — Я ей предложила, но она сказала мне, что в них не нуждается.

— Гордость заела?

— Нет, мне кажется, она и впрямь знает, как их ей раздобыть в другом месте.

— Странно, — задумалась Инга. — Деньги-то немаленькие. Кто же ей согласился их дать?

— Мне и самой странно. Думала, что второй такой дуры вроде меня Арине найти не удастся. Да только слов из песни не выкинешь. Что она мне спела, то и я тебе повторяю. Похоже, нашелся у Арины кто-то еще доверчивей меня.

Но Инга выглядела задумчивой еще долгое время. Алена видела, как подруга о чем-то беседовала с Ваней, который слушал ее с непривычно серьезным и внимательным лицом. А потом, едва только Инга кивнула ему головой, сорвался с места и куда-то побежал.

Глава 14

Все эти события не помешали успешной подготовке к проведению празднования юбилея поместья Василия Петровича. И вот наступил этот торжественный день. На праздник пришли все, и даже Екатерина Павловна, медленно оправляющаяся после похорон любимой дочери и ареста своего несостоявшегося зятя.

Надо сказать, что арест Мишки был самым значимым событием за последние дни. Жениха Наташи задержали при попытке удрать из «Дубочков». Возможно, парню удалось бы покинуть поместье беспрепятственно, ведь Василий Петрович не делал никаких шагов, чтобы выдать своего шофера полиции, но Мишка сплоховал сам. Когда по поместью снова зашмыгали полицейские, пытаясь установить личность мужчины, с которым встречалась Наташа, Мишка ударился в панику и дал деру.

Но и тут бы все ничего, только удрать парень решил на хозяйской машине. Да еще когда его тормознули в ближайшем населенном пункте, начал каяться, едва подошедший к нему полицейский успел представиться. Пораженный до глубины души сотрудник дорожной полиции услышал и про убийства, и про наследство, и вообще очень много интересного, после чего никак уже не мог расстаться с Мишкой и отвез того в ближайшее отделение полиции, откуда Мишка был этапирован обратно в «Дубочки», прямо в объятия лучащегося счастьем следователя Терентьева.

Теперь Мишка находился под домашним арестом, ожидая окончательного решения своей судьбы. Полицейские медлили, не будучи вполне уверенными в том, что перед ними именно тот, кто им нужен. Если в убийстве Наташи беднягу Мишу еще можно было отчасти заподозрить, то между другими жертвами и Мишкой не находилось ни малейшей точки соприкосновения.

Так что парень пока находился, фигурально выражаясь, между землей и небом, в подвешенном состоянии. И настроение у него менялось на день по сто раз. То Мишка ударялся в безудержную скорбь, то лелеял самую светлую надежду. Общение с ним по настоянию Терентьева было сокращено до минимума, Мишке было даже запрещено покидать свою комнату.

Но Екатерине Павловне все же удалось настоять на встрече с Мишкой. О чем говорили эти двое, никто сказать не мог. Но Екатерина Павловна вышла из комнаты, рыдая, а на щеке у Мишки откуда-то появилось красное пятно, подозрительно похожее на отпечатавшуюся пятерню.

Алена, которая старалась помогать в организации праздника, уже давно явилась на поле, где заранее была установлена сцена, расставлены усилители и другие приспособления для предстоящего концерта. Она видела, что Екатерина Павловна была в числе первых, кто занял места на зрительских трибунах перед началом праздника. Надо сказать, что Алена была искренне удивлена, увидев эту женщину. Екатерина Павловна была последней, кого Алена ожидала увидеть на концерте.

За прошедшие дни Алена несколько раз предпринимала попытки пообщаться с матерью Наташи и объясниться с ней. Но всякий раз слышала из уст соседки, поселившейся вместе с Екатериной Павловной и взявшей на себя уход за ней, лишь одну и ту же фразу: «Она благодарна всем за проявляемое к ней сочувствие, но пока никого не хочет и не может видеть, она предается своему горю и просит ей не мешать».

И вот теперь Алена обнаружила эту еще вчера убитую горем мать на трибунах, причем если верхнюю часть лица Екатерины Павловны и закрывали темные очки, то нижняя была открыта и выглядела невозмутимой. Губы были твердо сжаты, подбородок не дрожал. Да и руки Екатерины Павловны были решительно скрещены на груди. Вся ее поза излучала напряженное ожидание и неприязнь.

Непохоже, чтобы Екатерине Павловне доставляло удовольствие находиться среди толпы зрителей, собравшихся на праздник в «Дубочках». И тем не менее она была тут.

Алена попыталась подобраться к Екатерине Павловне поближе, но ее оттеснила толпа гостей, прибывших на праздник из «Никитского».

— Алена Игоревна!

— Какая встреча!

— Ну, повеселимся же мы сегодня у вас на празднике!

Сам владелец поместья «Никитское» со своей невестой уже давно был тут. Антон Борисович прочно занял место рядом с Василием Петровичем в хозяйской ложе, откуда и намеревался наблюдать за течением праздника.

Надо сказать, что Василий Петрович выложился по полной программе сам и выжал все силы из своего поместья и людей, но зато и праздник получился на славу. Были приглашенные артисты и сыплющий искрометными шутками ведущий. Были также запланированы выступления многочисленных местных коллективов, для многих из которых это был дебют, и они репетировали, словно сумасшедшие, дни напролет, лишь бы их выступление запомнилось.

Песни, пляски, музыкальные конкурсы и прочие развлечения перемежались раздачей угощения, конными выступлениями, собачьими бегами и многим другим. Так что поглазеть тут было на что, но главное событие — фейерверк — было запланировано на более позднее время.

По статусу Алене полагалось постоянно находиться рядом с Василием Петровичем на своем месте хозяйки праздника. Но проблема в том, что оттуда ей не было бы видно место, где сидела Екатерина Павловна. А Алене по какой-то причине было очень важно знать, что происходит возле этой женщины. Она чувствовала, что появление Екатерины Павловны на празднике — не случайность.

Алена нашла выход из положения и время от времени Инга по ее просьбе улучала момент и отходила чуть в сторону, чтобы видеть, по-прежнему ли находится Екатерина Павловна на празднике.

Каждый раз, возвращаясь, она докладывала подруге:

— Она все еще там.

— Кремень тетка!

— Лицо у нее точно как камень.

— И чего ее вдруг потянуло к людям?

— Наверное, праздник захотела увидеть.

— То целые дни взаперти сидела, никого к себе не допускала, а тут вдруг появилась.

— Ну и что? Пусть сидит, хоть немного отвлечется от своего горя.

— Мне это не нравится. Еще вчера я заходила к ней, просила, чтобы она отказалась от своего затворничества, она со мной даже не захотела разговаривать. А сегодня сидит... смотрит... И главное, видно, что ей это неприятно.

Алена тревожилась не напрасно. Еще на похоронах Наташи ее мать громогласно заявила всем, кто ее слышал, что не смирилась и не смирится со смертью дочери и, покуда будет жива, станет разыскивать убийцу. И в этом плане арест Миши никак не повлиял на решимость Екатерины Павловны.

Насчет Миши она высказалась резко и прямолинейно, как делала это всегда:

— Я не верю, что этот сопляк мог убить Наташку и в придачу еще двух баб. Это сделал кто-то другой.

Но кто? Возникали разные версии, но ни одной, которая бы привела к реальному задержанию преступника, пока не появилось.

Алена взяла бинокль, лежащий рядом с ней, и начала рассматривать толпу гостей. Внезапно она вздрогнула. В толпе гостей мелькнуло лицо, показавшееся ей знакомым. Алена снова поднесла к глазам бинокль, но больше ничего интересного не увидела.

Сначала она потрясла головой, а потом, наклонившись к подруге, сказала:

— Или я сошла с ума, или я видела тут Арину.

— Кого? — рассеянно переспросила у нее Инга.

— Арину. И она в мужском костюме.

— Ну, это вряд ли.

— Что в мужском костюме?

— Нет, что она вообще приехала.

— Почему?

— Если бы Арина задумала вернуться в «Дубочки», — объяснила свою точку зрения подруге Инга, — то она бы уж тебя оповестила. Разве такая важная персона согласилась бы остановиться где-то в простом номере? Нет, только апартаменты в хозяйской усадьбе и все прилагающиеся к этому привилегии.

— Тем более что в «Дубочках» сейчас все номера забиты под завязку.

В связи с наплывом гостей Василию Петровичу в преддверии большого праздника и хорошей погоды даже пришло в голову установить на лугу несколько многоместных палаток с раскладными походными кроватями в них. Эти палатки он приобрел для открытия летнего детского лагеря, но, пока дело до этого не дошло, в палатках на раскладных кроватях устроились неприхотливые журналисты и прочие непритязательные гости и участники праздника.

— Хоть какая-то крыша над головой.

Вот только туалетные удобства были не в самих палатках, а на улице. Душ находился там же. Да и с горячей водой был напряг — на всех желающих ее просто не хватало. Даже на мгновение предположить, что Арина с ее великосветскими запросами могла бы удовольствоваться приютом в одном из подобных мест, показалось Алене невозможным.

— Да нет, бред какой-то.

К тому же от матери Алена слышала, что Арина занята подготовкой к похоронам тети Веры, готовя какое-то невообразимо пышное торжество и обещая вскоре сообщить о дне проведения церемонии.

— Так что Арине явно не до праздника у нас в «Дубочках», — заключила Инга.

Алена в ответ с облегчением вздохнула:

— Да, значит, я ошиблась.

Она снова принялась вертеть головой по сторонам, взяла бинокль и, замерев, неожиданно произнесла:

— Но теперь я точно вижу знакомого.

— Кого?

— А ты посмотри сама.

Голос подруги звучал так весело и задорно, что Инга невольно взглянула в ту сторону, куда указывала ей Алена, и сердце у нее радостно дрогнуло: пробираясь через густую толпу празднующих, к ней медленно, но верно двигался ее любимый Залесный!

— Он тут! — вскочила на ноги Инга, не сдерживая своего восторга. — Он приехал! Не может быть!

Но приходилось поверить. Это был Игорь.

— Ко мне приехал! — ликовала Инга. — За мной! Значит, он все-таки меня любит!

Инга бросилась навстречу Залесному, который был явно удивлен такой бурной встречей. И вроде бы, когда Инга только подбегала к нему, на его лице даже мелькнуло выражение, похожее на страх. Однако уже после минуты поцелуев, объятий и улыбок на его физиономии заиграла ответная улыбка. Правда, какая-то неуверенная, робкая и даже жалкая.

— Инга, дорогуша... значит, ты меня еще немного любишь?

— Как ты можешь такое спрашивать? Конечно, я тебя люблю!

— Вот и хорошо.

— А ты? Ты меня любишь?

— Поговорим об этом потом.

— Как это потом?

— Но я ведь приехал сюда, не правда ли? Значит, у нас будет время, чтобы все спокойно обсудить.

Это не было похоже на то романтическое объяснение в любви, которое успела придумать для себя в мечтах Инга. Но, к сожалению, сказать об этом Залесному у нее тоже не было времени. Пока Инга прикидывала, в каких бы выражениях сообщить любимому мужчине о том, что его признание ее, мягко говоря, не удовлетворило, и как бы сделать так, чтобы чудом восстановленный, и то не до конца, мир не разрушился бы тут же окончательно, к ним подошел Ваня. Последний по долгу своей службы тоже присутствовал рядом с Василием Петровичем и его гостями.

Он тут же подал руку Залесному и произнес:

— Рад тебя видеть. Хорошо, что ты выбрал время и приехал.

— Разве я мог не приехать?

— Отлично, ты нам сегодня пригодишься.

Алена с удивлением взглянула на Ваню. Она знала о соперничестве между ним и Залесным. В прежние встречи Ваня в лучшем случае приветствовал Залесного угрюмым кивком. А если соперники и говорили друг с другом, то исключительно обмениваясь колкостями. И вдруг такая теплая встреча. С чего бы это?

Определенно, сегодня был удивительный день! Но Инге хотелось пообщаться с Залесным наедине, и Алена решила предоставить подруге такую возможность. Она наблюдала за тем, как тяжело все эти дни переживала Инга ссору и разлуку с любимым мужчиной, и теперь была бы рада их примирению.

Алена спустилась с трибуны и затесалась в ряды празднующих. Тут было много незнакомых лиц, но еще больше — знакомых. И со всех сторон хозяйку поместья приветствовали.

— Добрый денечек, Алена Игоревна!

Обернувшись, Алена увидела ту самую соседку, которая посвятила себя уходу за Екатериной Павловной.

— А я вот тоже выбралась! — радостно сообщила Алене женщина. — Уж и не чаяла, думала, что с Катей этот день проведу. А Катюшу-то отпустило, вот радость какая!

— Отпустило? — машинально повторила Алена и не удержалась, полюбопытствовала: — А с чего вдруг?

— Так это у Вани спросить надо. Он у Кати вчера, уже после вашего ухода, побывал, что-то ей сказал, так сегодня прямо с утра она меня к себе позвала и сказала, что тоже идет на праздник.

— Да, я ее видела. Вот только непохоже, что ей нравится это веселье.

— Ну, все равно лучше, чем в четырех стенах дома сидеть. Я уж опасаться начала, как бы она умом не тронулась. Но ничего, спасибо вашему Ване, спас он мою подругу!

Тут женщину окликнул кто-то из ее знакомых, и она поспешила на зов. Алена же оглянулась на трибуну, где еще минуту назад видела лицо Вани. Вот, значит, как? Выходит, Ваня, ничего ей не сказав, вчера тайком побывал у Екатерины Павловны, после чего женщина резко изменила свое решение и не только вышла в свет, но даже приняла участие в празднике.

И снова душу Алены царапнуло неясное чувство тревоги. Ей показалось, что этот день, помимо праздничного, имеет еще какой-то непонятный привкус. Но ощущение это было таким смутным, что оформиться ни во что толковое не успело. Вокруг было слишком много праздничного шума, конфетти, музыки, да и угощение, за которым Василий Петрович не постоял, тоже заслуживало отдельного упоминания.

Хозяин «Дубочков» открыл все свои закрома, так что гости праздника могли пить квас, пиво, морсы, соки, лимонады и другие прохладительные напитки, ларьки с которыми были расставлены на всех углах и где с посетителей не брали ни копейки. Также повсюду стояли буфеты с различной домашней выпечкой, тоже бесплатной. В середине дня планировалась раздача сосисок-гриль, бифштексов, жареных свиных отбивных, бекона, и все это — своего собственного производства.

— Все должны быть сыты, довольны и немножечко пьяны.

Следить за тем, чтобы последнее оставалось на уровне «немножечко», была призвана охрана «Дубочков» и «Никитского», а также полицейские патрули, которые ни на минуту не теряли бдительности. Впрочем, так как крепких напитков на празднике не было, а закуски было предостаточно, то никто всерьез и не напивался. А если вдруг где и начинали шуметь, чаще всего буянов унимали сами гуляющие прежде, чем к тому месту успевала подоспеть охрана.

И все же Алене казалось, что должно что-то случиться. Что-то не очень хорошее. Несмотря на окружающее ее веселье, на душе у хозяйки становилось с каждой минутой все тревожнее и тревожнее.

Она вернулась назад на трибуну и обнаружила, что ни Вани, ни Залесного тут уже нет.

— А где Игорь?

— Ваня его увел с собой. Сказал, что Игорь нужен ему по делу.

— По делу? По какому делу?

Но Инга казалась печальной и пояснить подруге ничего не захотела.

— Да не переживай ты! — решила подбодрить подругу Алена. — Никуда из «Дубочков» они не денутся. Побродят по округе и вернутся.

Инга ничего не ответила. И Алене даже показалось, что глаза у подруги на мокром месте. Но тут началось выступление детского церковного хора, и Алена отвлеклась на звуки чудесных детских голосов, поющих словно сонм ангелов. Когда же она вновь посмотрела на Ингу, то подруги рядом с собой не обнаружила.

— И что за день такой? — пожала плечами Алена, придвигаясь поближе к Василию Петровичу, который был на своем месте, уходить никуда не собирался и с явным удовольствием наблюдал за праздником.

Никитин и Наталья Кирилловна тоже были тут. Бывшая помощница Василия Петровича уже не первый час сидела с таким выражением лица, словно бы являлась хранительницей великой тайны. Теперь, решившись, она придвинулась поближе к Алене и сказала:

— А мы назначили день свадьбы.

— Что?

— Правда-правда, — лучась от счастья, подтвердила Наталья Кирилловна. — Ровно через две недели. Придете?

— Конечно, придем.

— Мы хотели еще раньше, но потом решили, что нечего людей смешить. Столько ждали, подождем и еще чуть-чуть. Но зато сразу же после свадьбы на другой день мы уезжаем и вернемся не раньше чем через полгода.

— А как к этому отнеслась Марья Евгеньевна?

— Мне кажется, ей даже понравилась идея остаться в доме одной, его полновластной хозяйкой. Как ни крути, а в последнее время ее благотворительной деятельности не хватало размаха. Все внимание, силы да и ресурсы перетягивал на себя сын. Но теперь у нее есть возможность заняться благотворительностью на всю катушку. Она уже договорилась с каким-то детским домом, часть воспитанников приедет до конца лета к нам в усадьбу.

— Такими темпами старушка обойдет моего Василия Петровича.

— Не беспокойтесь, людское одобрение ей не нужно. Она готовится для встречи с тем, кто выше всех.

Алена понимала, что имеет в виду Наталья Кирилловна. Женщине довелось получить редкую свекровь, которая будет не только любить свою невестку, но и молиться за нее, как молилась до сих пор за других.

Но все же, несмотря на приятное общество, которое возле них с мужем собралось, Алене не сиделось в ложе. Ее тянуло в толпу, к людям, которые от души веселились сейчас на празднике, устроенном для них ее мужем.

— Вася, я пройдусь немножко?

Но Василий Петрович, занятый разговором с кем-то из журналистов, заглянувших к нему, даже не услышал ее слов. Поэтому Алена решила его не отвлекать, а просто пойти и поискать Ингу. Судя по заплаканным глазам подруги, сейчас Инге нужна была поддержка Алены.

— Куда же она могла пойти?

Алена шарила взглядом по сторонам и внезапно увидела, как Екатерина Павловна, до сих пор чинно сидевшая на своем месте, вдруг резко поднялась и, словно повинуясь чьему-то приказу, стала пробираться через толпу. Она явно двигалась к выходу. Более того, зоркий глаз Алены углядел, что следом за ней двигалась и Инга.

— Эй! — помахала Алена рукой и даже подпрыгнула. — Я тут!

Инга ее не услышала и не увидела, но Алена все равно захотела ее догнать. Ее и Екатерину Павловну, с которой она до сих пор так и не удосужилась побеседовать.

— Хоть поговорю с ней нормально. Раз в люди выбралась, значит, может и мне уделить минутку.

Но, как ни старалась Алена, ей не удавалось нагнать Екатерину Павловну. Та двигалась подобно ледоколу, рассекая людские толпы своим мощным торсом. За ней двигалась и Инга, которой удавалось легко преодолевать преграды из людей. А вот Алена, конечно, не могла похвастаться столь же могучим телосложением. Ей уступали только после того, как узнавали. Происходило это далеко не сразу, а когда и происходило, то людям обязательно было нужно поздороваться с хозяйкой или даже перекинуться с ней несколькими словечками.

Из-за всех этих заминок Алена безнадежно отстала. Когда она выбралась из густой людской толпы, то приметная шляпа Екатерины Павловны уже была далеко. А Инги и вовсе не было видно.

— Ну, хотя бы Екатерину Павловну догоню, — решила Алена и воскликнула: — Подождите!

Но Екатерина Павловна ее на таком расстоянии просто не могла услышать.

Алена резво потрусила вперед, догадываясь, куда может направляться женщина. Конечно, она шла к себе домой. Внезапно Алене вновь показалось, что она видит фигуру в мужском костюме, мелькнувшую на мгновение за деревьями, которые росли вдоль дороги. Почему-то Алена вновь вспомнила про Арину.

Поморгав глазами, Алена велела самой себе успокоиться. Арины тут быть не могло. Это совесть Алены не давала ей покоя. Ведь с тех пор, как Арина покинула «Дубочки», Алена ни разу не позвонила ей. Все новости она узнавала через маму, но наверняка Арина обижалась на Алену за невнимание и нежелание пообщаться с ней лично.

Алена повертела головой, и ей показалось, что она снова видит Ингу.

— Отлично. Надо поднажать.

Алена заметила, что Екатерина Павловна свернула на длинную дорогу, которая вела к ее дому. Видимо, врачевательница хотела прогуляться в одиночестве. Шагала она размашисто и быстро, ноги у нее были сильные, а движения энергичные. Гнаться за ней Алена не захотела. Пусть идет себе, а Алена будет ждать женщину возле ее дома. Это здорово сэкономит самой Алене силы. Да и деваться потом Екатерине Павловне будет некуда, волей или неволей ей придется поговорить с Аленой.

Приняв это решение, хозяйка «Дубочков» резво припустила бегом по короткой дороге, ведущей к дому Екатерины Павловны.

Путь занял у Алены всего несколько минут. Когда она оказалась возле дома Екатерины Павловны, то хозяйки тут еще, ясное дело, не было. Алена уселась на крылечке и принялась ждать. Рано или поздно Екатерина Павловна должна была вернуться. А Алене хотелось спокойно поговорить с ней. Не затаила ли она обиды против нее или Василия Петровича? Избавилась ли вообще Екатерина Павловна от заблуждения в том, что Наташа встречалась с Василием Петровичем, а не с шофером Мишей?

Судя по словам следователя Терентьева, Екатерина Павловна была им проинформирована, что Василий Петрович не имеет никакого отношения к судьбе Наташи. Но поверила ли следователю несчастная мать? Не сочла ли, что он подкуплен хозяином «Дубочков»? Вдруг у Екатерины Павловны до сих пор имеются на счет Василия Петровича какие-то сомнения?

Алена должна была это выяснить лично и, если таковые имелись, попытаться разубедить женщину. К тому же она хотела узнать, будет ли Екатерина Павловна работать у них в «Дубочках» по-прежнему или же надо поискать ей замену.

Клиенты, стоящие в очередь на сеансы к Екатерине Павловне, не желали понимать сложившейся ситуации. Они звонили каждый день по несколько раз, и требовали от Тани внести ясность, когда Екатерина Павловна сможет их принять и сможет ли вообще. Таня ничем не могла им помочь и переадресовывала жалобщиков к Алене как к высшей инстанции. Алене эти звонки уже тоже изрядно надоели. И в этом была причина столь откровенной ее настойчивости. Алена уже предприняла множество попыток связаться с Екатериной Павловной, но ей так и не удалось услышать от женщины ответа. Алена очень надеялась, что сегодня она сможет прояснить этот вопрос.

— Пусть только скажет — да или нет. Должна же я знать, что мне отвечать людям. И вообще, если у нее к нам какие-то претензии, пусть скажет прямо, а не прячется от меня!

Алена ждала уже целых пятнадцать минут, а Екатерина Павловна все не появлялась.

— Пойду ей навстречу. Небось уселась там на солнышке, и дела ей ни до чего нет. А я тут томись в ожидании.

И Алена двинулась по длинной дороге, надеясь по пути перехватить Екатерину Павловну. Внезапно до ее слуха донесся громкий крик, потом чьи-то голоса, новые крики, а потом даже звук выстрела.

— Господи! — замерла на месте Алена. — Что это? Неужели стреляют?

Алена побежала, звуки голосов точно указывали ей дорогу. Они становились все громче, Алене стало казаться, что она различает голос Вани и еще чей-то. Он был похож на голос Арины, но Алене за сегодняшний день уже столько раз мерещилась эта личность, что она приказала себе не думать об этом. Да и разобрать, что именно этот человек кричит Ване, на бегу Алена не могла. Мешал ветер, гудящий у нее в ушах. Потом возбужденные голоса на какое-то мгновение стихли. Пробежав еще немного, Алена остановилась, не зная, куда двигаться дальше.

Затем, совершенно неожиданно, раздался голос Екатерины Павловны:

— О-о-о! Осторожнее!

— Я и так осторожен, — произнес Ванин голос.

— Если бы вы знали, как больно!

— Успокойтесь, — ответил Ваня. — С вами все будет в порядке.

Голоса звучали так близко, что Алене казалось — стоит протянуть руку, и она коснется Вани и Екатерины Павловны.

Мать Наташи как раз в этот момент задала Ване следующий вопрос:

— Скажите, я умираю?

— Нет, рана неопасная. Мы доставим вас в больницу, вас там заштопают, и будете вы как новенькая.

Но этот разговор прервал еще чей-то громкий стон, полный боли и злобы.

— Ваня, посмотри, что с ним.

— Сиди тихо! — через секунду услышала Алена голос Вани. — Не двигайся.

Это было сказано уже совсем другим тоном. Никакого сочувствия, как в разговоре с Екатериной Павловной, теперь не слышалось вовсе. Алена могла бы ручаться, что Ваня говорит еще с кем-то другим, а не с их знакомой.

Алена кинулась в ту сторону. Ей не пришлось даже далеко бежать. Стоило раздвинуть ветки деревьев, как она увидела живописную группу: Ваня, склонившийся над каким-то комком на земле, несколько ребят из охраны, вставшие полукругом за спиной своего начальника и поддерживающие Екатерину Павловну, с окровавленным боком, не сводящую глаз с существа, которое находилось рядом с ней на земле — скрюченное и жалкое.

К удивлению Алены, тут же находились Залесный и Инга. Причем если Инга наблюдала за происходящим со стороны, то Залесный подошел к Ване и попытался помочь окровавленному комку, скулящему перед ними на земле. Как поняла Алена, эти двое пытались оказать помощь человеку, подстреленному Ваней. Но раненый сопротивлялся их усилиям, чем вызывал немалое раздражение у мужчин.

— Не двигайся, кому говорю! Кровью истечешь! Отвечай потом за тебя.

В ответ раздался такой громкий вопль, что у Алены озноб пробежал по коже, и она выскочила вперед.

— Что тут произошло?

Но Ваня лишь мельком взглянул на нее, а потом обратился к человеку, которому он пытался оказать помощь.

— Пуля прошла навылет. Кость цела. Замолчи!

— Мерзавцы! — услышала Алена знакомый голос, приведший ее в немалое изумление, потому что шел он от седобородого неряшливого вида старика, все еще лежащего на земле. — Убийцы! Вы меня убили! А-а-а... О-о-о...

Голос, безусловно, принадлежал Арине. Но где же она сама?

— Заткнись! — рявкнул между тем Ваня. — Никто тебя не убил, не ври! Ранили чуток, это да! Но в этом ты сама виновата.

— Я? Я виновата?

— А зачем ты побежала? Мы же тебя предупреждали, чтобы ты остановилась.

— Да пошли вы на...!

Алена не выдержала и подошла поближе. Голос корчащегося на земле человека принадлежал Арине, но вот узнать ее Алена никак не могла. Вместо Арины на земле лежал какой-то седоволосый и седобородый старикашка, схватившийся за испачканную кровью ногу и вопящий голосом Арины жуткие оскорбления в адрес Вани и остальных.

— А-а-а... И ты здесь! — завопил старикашка голосом Арины, когда его взгляд упал на подошедшую к ним хозяйку «Дубочков». — Явилась! Твоих рук дело?

— Что?.. Кто это?

— Не узнаете? — усмехнулся Ваня. — Свою закадычную подружку и не узнаете? Это же ваша Аришенька, вот взгляните!

Сделав шаг, он резким движением сорвал с лица старика фальшивую бороду. Теперь всем стало ясно, что это никакой не старик, а молодая и полная сил женщина, всем им хорошо знакомая.

— Арина? — произнесла Алена с удивлением. — Это ты?

Ей захотелось протереть глаза, что она и сделала. Но испытанное средство на сей раз не помогло. На земле сидела Арина, сжимающая руками окровавленную ногу и жалобно завывающая то ли от боли, то ли от страха, то ли от унижения, то ли от всего вместе взятого.

— Что... Что тут происходит?

— Разве не ясно? Ваша подружка заклятая явилась, чтобы доделать начатое. Трех трупов ей мало, должно быть, показалось. Вот она и вернулась за четвертым.

— За четвертым? — переспросила пораженная до глубины души Алена. — Вы что?.. Вы хотите сказать, что Арина кого-то убила?

— Да не кого-то, а Зыкову, Наташку и свою мать! Трех человек!

— Тетю Веру?

— Ее самую. Да вы сами взгляните!

С этими словами Ваня бесцеремонно закатал штанину на ноге у Арины. Та почти сразу же дернула ею, так что брючина опустилась обратно. И все же Алена успела заметить на ноге у Арины два почти ровных полукруга.

— И что это?

— Следы зубов! — пояснил ей Ваня. — Помните, Терентьев сказал, что тетка Вера перед смертью успела укусить своего убийцу? Вот извольте полюбоваться на следы ее зубов!

Изумление Алены перешло все границы допустимого. Она почувствовала себя как переполненный горячим паром котел: если не отвернуть клапан, разорвет всю ее черепушку к чертовой бабушке.

— Я ничего не понимаю, — растерянно пробормотала она. — Что вы такое говорите? Как это Арина убила свою мать? Этого просто не может быть!

— Точнее, не мать она убила, а соперницу, которая стояла между ней и деньгами.

— Какими деньгами? Откуда?

— Деньгами, которые Арина должна была унаследовать после смерти отца Наташи, бывшего супруга Зыковой и по совместительству — брата ее матери.

— Что?

Ваня только рукой махнул и отошел прочь. Он явно считал, что сейчас не время для объяснений с Аленой. И Алена не могла его упрекать за это. Ведь, несмотря на все уже полученные от Вани объяснения, легче Алене не становилось. Мыслей и вопросов по-прежнему было слишком много для ее бедной головы. Она была не в силах уразуметь, что происходит. Да еще Арина решила сменить пластинку и вместо грубой брани, которой прежде она осыпала своих врагов, начала плакать.

— Аленушка! Пожалей меня! Я ни в чем не виновата. Ну взгляни же на меня. Ты же им не веришь! Я не могла убить маму. Тех, других еще туда-сюда, но маму... Ты же знаешь, как я ее любила!

— Деньги ты любила, а не свою маму! — сурово произнес Ваня, обернувшись на мгновение. — И не пытайся теперь разжалобить Алену Игоревну. У тебя этот фокус не получится.

И он сам встал между Ариной и хозяйкой, словно собираясь своим телом защитить Алену от козней ее бывшей подруги. А потом, словно не надеясь на силу своего авторитета, Ваня приказал охранникам:

— Забирайте ее!

— Алена, помоги! — заверещала Арина, когда грубые руки подняли ее. — Не отдавай им меня! Ай! Больно! Больно! Отпустите!

Нервы Алены не выдержали, и она подскочила к охранникам.

— Подождите! Постойте!

Но Алену никто не слушал. Она пыталась оттащить охранников от Арины, но, конечно, у нее ничего не получилось. От собственного бессилия Алена едва не заплакала. Наконец Инга сжалилась над подругой и сказала ей:

— Алена, это все правда. И сегодня Арина пыталась прикончить Екатерину Павловну. Ванины ребята схватили ее в тот момент, когда она уже занесла руку для удара.

— Я не верю.

— Пусть Игорь подтвердит тебе, если ты мне не веришь!

Залесный, который уже собрался уйти следом за остальными, услышав эти слова, остановился и кивнул головой:

— Я — свидетель. Алена, надеюсь, моему-то слову ты доверяешь?

— Да.

— Так вот, как полицейский с многолетним стажем, я подтверждаю, что твоя приятельница, которую ты так неосмотрительно пригласила к себе в гости и которой оказывала покровительство, собиралась сегодня совершить убийство. Судя по всему, уже не первое.

Видя на лице Алены по-прежнему тень недоверия и поняв, что одних слов для нее все же недостаточно, он извлек из кармана полиэтиленовый пакетик, в который был упакован окровавленный нож, и показал его Алене.

— Что это?

— Нож, с которым Арина напала на Екатерину Павловну. Напала подло, решила ударить со спины.

Пока Алена рассматривала не без внутреннего содрогания этот нож, Залесный добавил:

— Это тот самый клинок, которым были убиты три другие жертвы. Решать это предстоит экспертам, но я почему-то уверен, что их ответ будет однозначным.

Алена с изумлением смотрела на нож с острым и хорошо заточенным лезвием. Оно было испачкано свежей кровью. Сопоставив рану на теле Екатерины Павловны, маскарад Арины и слова своих друзей, Алена наконец поверила в то, что все происходящее на поляне — не сон, не миф и не чья-то злая выдумка. Все это взаправду, и Арина — преступница.

Залесный снова привлек внимание Алены к улике в своих руках:

— Видишь, она даже нож с двух сторон заточила.

— Зачем?

— Чтобы лезвие в плоть входило легче и быстрее.

— И кто его так заточил? Арина? Сама?

— Ну, может, и помог ей кто, — с сомнением произнес Залесный. — Умельцев-то сейчас много. Разбираться будем.

С этими словами он убрал улику обратно в карман и поспешил за ушедшими товарищами. Несмотря на то что им приходилось нести на руках пострадавшую при задержании Арину, ребята ушли далеко вперед. Все они были крепкой закалки, так что даже беспрестанные крики и жалобы Арины, иногда сменяющиеся проклятиями, не заставили их замедлить шаг ни на секунду.

Екатерина Павловна ковыляла сама, поддерживаемая с двух сторон крепкими охранниками.

Алена молча посмотрела им вслед, а потом растерянно взглянула на Ингу.

— Пойдем, — произнесла в ответ ее подруга. — У нас еще очень много дел. Особенно у тебя и у Василия Петровича.

Эти слова напомнили Алене о том, что где-то совсем неподалеку от них шумит праздник, люди радуются и смеются. Очень жаль, что Арине уже не доведется присоединиться к ним. Для нее праздник жизни закончился, начались совсем иные времена.

Глава 15

О подробностях произошедшего Алене довелось узнать лишь на другой день, когда по окончании праздника все гости из «Дубочков» разъехались, остались лишь самые приближенные и доверенные. В числе их оказался и Залесный, который не сводил глаз с Инги, но счастливым отчего-то при этом не выглядел. Так же, как и сама Инга, которая с момента приезда в поместье своего Игоря ходила с заплаканными глазами, чем вызывала в душе у Алены бурю непонимания и вопросов.

Но все-таки куда больше ей не терпелось узнать подробности задержания Арины. И вообще, как это задержание могло состояться. Вот только обсудить это с мужем, Ваней или Ингой Алене вечером случай не представился. Как только они вышли из рощицы, где было совершено нападение на Екатерину Павловну, Ваня сразу же сел в поджидающую его машину и уехал вместе со своими людьми, Ариной и Екатериной Павловной. Первую он собирался доставить к Терентьеву, вторую — в больницу. Инга и Залесный уехали вместе с ним.

А праздник отнял у Алены последнего собеседника — ее мужа. Василий Петрович был настолько занят, что лишь отмахнулся от новостей, которые пыталась сообщить ему жена:

— Потом! Все потом, Аленушка! Ну не до этого мне сейчас!

В результате минувшей ночью Алена почти не спала и к утру пришла к выводу, что заставить Арину появиться в «Дубочках» могло что угодно, а вовсе не желание совершить преступление. Проворочавшись без сна, Алена почти убедила себя в том, что задержание Арины — это чудовищное недоразумение, которое нужно немедленно исправить. Наверняка она не собиралась убивать Екатерину Павловну. Максимум — хотела неудачно пошутить или напугать.

— Мелкая пакость — это вполне в духе Арины. Но убийство... Нет! И еще не поздно все исправить!

С этой мыслью Алена и вскочила с кровати. Пока она приводила себя в порядок, мысли ее по-прежнему крутились вокруг вчерашнего инцидента.

И очень хорошо, что никто, кроме узкого круга, не знает о том, что произошло. Каким-то образом Ване вчера удалось избежать шумихи вокруг задержания Арины. Никто из приглашенных на праздник гостей не услышал ни выстрелов, ни криков. Не заметили люди и транспортировки раненой Екатерины Павловны и задержанной Арины к машинам, увезшим обеих женщин прочь из «Дубочков».

— Значит, репутация Арины не пострадала. Сейчас необходимо забрать ее из лап Терентьева. Что они за глупость придумали? Арина — и вдруг убийца!

Порадовавшись тому, что задержание Арины произошло в отдалении от места основного празднества, где за шумом музыки и песен вообще было мало что слышно, Алена вновь озаботилась тем, что не заступилась вчера за приятельницу более основательно.

Одеваясь, Алена возмущенно бормотала себе под нос:

— Что Ваня себе позволяет! Произвол! Совсем распоясался. Арина — моя давняя приятельница. А он вздумал палить по моим друзьям! Этак он и Залесного пристрелит, а потом обвинит его в каком-нибудь надуманном преступлении.

Даже тот факт, что Арина явилась в «Дубочки», постаравшись остаться неузнанной в костюме и гриме старика, не отбил у Алены желание помочь приятельнице оправдаться.

Едва дождавшись пробуждения Василия Петровича, Алена потребовала от него:

— Немедленно распорядись, пусть Ваня отпустит Арину!

Но муж вместо того чтобы сначала удивиться, а потом возмутиться произволом своего старого товарища, неожиданно и даже с радостью воскликнул:

— Так ты можешь себе представить, что они ее все-таки задержали!

Это восклицание мужа возмутило Алену окончательно:

— Что тут происходит? — закричала она. — Все в курсе, кроме меня! Все знают, что Арину должны были задержать, а теперь радуются ее задержанию! Что это такое?

— Дорогая, и ты обрадуешься, когда узнаешь поподробнее о художествах этой особы!

В ответ Алена заявила, что с нетерпением ждет объяснений, потому что пока ей ничего не понятно. А обвинять свою старую знакомую в многочисленных убийствах только потому, что когда-то с ней не ладила, она не будет.

Василий Петрович понял состояние жены, ласково погладил Алену по плечу и заверил ее:

— И мы тоже не будем голословны. Сейчас приедет Ваня, он тебе все объяснит.

— А ты не можешь?

— Прости, но я почти ничего и сам не знаю. Кроме того, мне надо решить кое-какие хозяйственные вопросы. После отъезда гостей осталась пропасть всяких проблем, надо распорядиться и присмотреть, чтобы ничего не пропало, и, вообще, чтобы все было в порядке.

Как всегда, Василий Петрович норовил быть в курсе всех, даже самых мелких, бытовых вопросов, касающихся имения. Он никому не доверял, стремясь лично принимать решения. Может быть, в этом и была причина его успеха и причина процветания «Дубочков»? Василий Петрович любил повторять, что величайший в истории России фельдмаршал Суворов тоже не доверял решения даже самых незначительных вопросов никому из своих адъютантов, стремясь лично проверить ночью посты, решить вопросы поставки обмундирования и нового вооружения и даже попробовать на вкус солдатскую кашу из котелка. Но зато и армия его обожала, и солдаты были готовы идти за своим главнокомандующим хоть к черту в пекло.

Так что Алена совсем не удивилась тому, что муж так быстро ее покинул. Если бы можно было установить на одной чаше весов судьбу Арины, а на другой — «Дубочки», приходящие в себя после праздника, последние, конечно, перевесили бы.

— Что ему какая-то там Арина? Ясно, что поместье важнее.

Но и Вани, к которому муж посоветовал обратиться, было еще не видать и не слыхать. Поэтому честь быть первой, кто все или почти все объяснит Алене, выпала Инге.

Именно она заглянула к Алене в этот ранний час и деликатно осведомилась:

— Не помешаю?

Прошла после полученного разрешения, робко присела на краешек кровати и сказала:

— Я хотела поговорить с тобой о Залесном.

— О ком?

Сама Алена была настроена совсем на другую волну, и поэтому слова Инги ее изумили до крайности.

— А что с Залесным-то снова не так? — воскликнула она с досадой. — Он же все-таки за тобой приехал. Значит, все в порядке!

— Приехал, да не за мной, — горько произнесла Инга.

— А за кем? Больше в «Дубочках» любимых женщин у Залесного нет. Это тебе не Ваня, у которого в каждом дворе по юбке.

— По делу Игорь к нам приехал, — вздохнула Инга. — Понимаешь, не ко мне и не за мной, а просто по делу. Он сам мне вчера так сказал.

В голосе Инги слышалась горечь, которая была Алене, как всякой женщине, хорошо понятна. Если мужчина, которого вы очень ждете, появляется рядом с вами исключительно по делу, то радости от такого появления и впрямь маловато.

Все же Алена попыталась воззвать к здравому смыслу подругу:

— Какие же у Залесного могут быть дела в «Дубочках», кроме твоих?

— Игорь говорит, что приехал, потому что Ваня ему позвонил и пригласил его, сказал, что у нас тут такие дела творятся, что без помощи профессионала нам никак не обойтись.

— Ваня? — изумилась до крайности Алена. — Позвонил Залесному? Сам?

— Я его точно об этом не просила, — несколько нервно огрызнулась Инга. — Ты тоже не просила?

— Нет, — помотала головой Алена. — И Василий Петрович, насколько я знаю, тоже таких мыслей в голове не держал. Ты же сразу сказала, что Залесный приехать не сможет, Вася этим ответом и удовольствовался.

— Ну, значит, Ваня и впрямь самостоятельно додумался, что надо все-таки позвать Залесного.

— До сих пор мне казалось, что Залесный — это последний специалист, кого стал бы звать нам на выручку Ваня. Он же его на дух не переносит!

— Мне тоже казалось, что они друг друга не переваривают. Но вчера я за ними целый день наблюдала — такие друзья, просто неразлейвода!

— Друзья? Ваня и твой Игорь?

— Вот об этом-то я и хотела с тобой поговорить. Раз Залесный приехал сюда только по делу, значит, не очень-то я ему и нужна. Значит, он уже не мой, а... а чей-то там еще!

При этих словах на глазах у Инги появились слезы. Алена немедленно кинулась на защиту Залесного, к которому в общем-то неплохо относилась. Может, в делах быта Залесный и впрямь бесполезен, как сетует Инга, но зато с ним никогда не бывает скучно. К тому же человек он, помимо того что веселый, еще верный и преданный. А это тоже дорогого стоит.

Поэтому Алена с чувством воскликнула:

— Ну что ты! Как ты можешь такое говорить про Игоря! Он тебя любит. И конечно, он приехал в «Дубочки» исключительно ради тебя.

— Ох, не знаю уже.

— Не слушай, что он там тебе наплел, ты смотри, что он сделал. Стоило Ване свистнуть, что у нас тут проблемы, как твой Залесный тут же подорвался, забил на свою работу и примчался на выручку. Он же не мог точно знать, что дело тебя лично не касается. Значит, он примчался выручать тебя.

— Ты сейчас договоришься, что он героем и рыцарем получится.

— Так оно и есть!

— А мне кажется, что Залесному на меня наплевать, — противным голосом сказала Инга. — Вчера за весь день он со мной и двух слов не сказал наедине. И по приезде держался так холодно!

Да, против этого Алене было трудно возразить. Залесный и впрямь держался с Ингой отстраненно, особенно до того, как та повисла у него на шее. Потом он немного оттаял, но, видимо, не до конца, что и заставляло теперь Ингу плакать.

— Я уезжала, думала, он за мной следом кинется, прощения станет вымаливать, — ныла Инга, — или хотя бы пожелает узнать, что случилось, чем я недовольна. А он просто взял и абстрагировался от меня. Если бы не просьба Вани, мог бы и вообще не появиться!

— Но ведь появился же!

— А зачем? Чтобы меня и дальше мучить?

Алену стала утомлять эта беседа.

— Слушай, я уверена, что Залесный тебя любит, потому и приехал в «Дубочки». Но если у тебя лично есть на этот счет какие-то сомнения, то поговори с Игорем сама.

— Наверное, так я и сделаю, — хлюпнула в ответ носом Инга. — Не важно, что я услышу в ответ. Любая правда, даже самая страшная, все равно лучше, чем неизвестность.

— Вот и правильно, — пробормотала Алена. — Вот и молодец. А сейчас не объяснишь ли ты мне, какого черта Ваня вчера напал на Арину?

Инга удивленно взглянула на подругу:

— Как это напал? Ты неправильно ставишь вопрос. Это не Ваня напал на Арину. Это Арина напала на вашу Екатерину Павловну. Хотела ее убить, ребята Вани в самый последний момент успели Арину перехватить и отнять у нее оружие.

— Это какая-то нелепость.

— Но ты же видела нож, который тебе показывал Игорь?

— Видела, — согласилась Алена. — Но я все равно не верю в вину Арины. Наверное, Ваня что-то не так понял.

— Нет, это ты напрасно, — покачала головой Инга. — Я тоже присутствовала в момент задержания.

— Ты?

— Я появилась на месте преступления буквально спустя пару минут после того, как Арину схватили. И уверяю, пока ты не пришла, Арина таких нам слов наговорила, что сомнений нет — она была в бешенстве, что мы помешали ее намерению. Сулила нам смерть, да в таких выражениях, что у меня уши прямо в трубочку сворачивались.

— Арина и впрямь напала на Екатерину Павловну? — недоумевала Алена. — Переоделась в старика и напала? Но зачем?

— На этот вопрос тебе лучше Ваня ответит. Я лишь знаю, что несколько дней назад он навел об Арине и ее матери справки, а потом сказал, что нам нужно ждать еще одного покушения. Он даже назвал имя жертвы и предугадал время, когда это произойдет.

— И откуда он это узнал?

— Понятия не имею. Он со мной своими идеями не счел нужным делиться.

В голосе Инги звучала обида: ее запасной кавалер повел себя не лучше основного. Но и Алене казалось, что она может счесть себя обиженной. Если Инга хоть что-то знала, то с Аленой никто и вовсе не пожелал поделиться новостями.

— Почему ты-то мне ничего не рассказала? — горько спросила она у подруги. — О готовящемся покушении и вообще?..

— Клянусь, я и сама толком ничего не знала. Просто я как-то сказала Ване, что странно, почему это Арина так быстро умотала и даже денег не захотела у тебя взять, хотя раньше ее мать просила их у тебя. Он сказал, что наведет справки, как Арина могла бы разбогатеть. Вот и все, что я знаю.

— Но на задержании ты присутствовала!

— Это потому, что я к Игорю прилипла, ему от меня не отделаться было, — несколько смущенно призналась Инга. — Он увидел, что я надулась, почти плачу, вот и сказал, что я могу тоже поприсутствовать, если мне хочется.

— А мне ты ничего об этом не сказала.

— Потому что некогда было. Игоря я буквально в последний момент выцепила, когда они с Ваней уже через толпу продирались.

Только когда появился Ваня и вернулся Василий Петрович, подругам наконец стали ясны подробности вчерашнего задержания.

Глава 16

Залесный также присутствовал при разговоре, но в диалог вступать избегал. И вообще, он выглядел каким-то смущенным и вроде бы даже несчастным, несмотря на постоянные похвалы со стороны Вани.

Вот тот выглядел довольным собой, только когда он случайно обращал свой взгляд в сторону Инги, лицо его немного мрачнело.

Но это не мешало ему хвалиться и дальше перед друзьями своими успехами:

— Ребят я своих вдоль дороги заранее расставил. И с Екатериной Павловной имел обстоятельную беседу. Растолковал ей: если она хочет, чтобы мы поймали убийцу ее дочери, придется ей в роли червяка на крючке выступить. А если хочет при этом еще и живой остаться, то пусть с обозначенного пути до своего дома никуда не сворачивает. Есть там пара местечек в лесу, либо там, либо уже в доме убийца на нее напасть и должна была.

— Ты сказал «была»? Значит, ты уже знал, кто скрывается под личиной преступника?

— Да, знал. А все благодаря вам, Инга.

— Мне?

— А то кому же! Вы первая обратили внимание на то, что больно странно, чтобы такая прощелыга, какой мы все считали Арину, не взяла бы предложенных ей от чистого сердца денег. И каких денег! Огромных! Без процентов! Практически в подарок. И чтобы такая особа взяла бы и отказалась от чистой халявы? Нет, тут было явно что-то не то.

— Такое могло случиться только в том случае, если бы Арина рассчитывала получить несравнимо больший куш, причем в самое ближайшее время.

— Во-во! — обрадовался Ваня. — И я о том же самом подумал. Ну и позвонил Игорю. Обрисовал вкратце ситуацию и попросил, чтобы он по своим каналам проверил нашу красавицу. А если понадобится, так и проследил бы за ней.

— И что?

Все взгляды устремились на Залесного, но тот не рвался в герои. И Ваня снова с воодушевлением принялся повествовать дальше:

— В общем, Игорь уже через час выяснил, что был у покойной тетки Веры до недавнего времени брат, причем человек очень успешный.

— Родной брат?

— В том-то и дело, что двоюродный. Такое родство близким уже не считается. Да и фамилии у тетки Веры и ее кузена были разные. Поэтому про их родство никто из полицейских, что над этим делом работали, и не узнал. Но до своей женитьбы жил этот брат в одной квартире с теткой Верой, так как их матери были родными сестрами.

Какая-то догадка блеснула в голове у Алены.

Но она не торопилась лезть вперед и лишь спросила:

— И что с этим братом?

— Свой бизнес у мужика был, а вот детей законных не было. Имелась, правда, девчонка, которую он на стороне нагулял, вот и все наследники. Девчонка да тетка Вера. Ну и еще Арина — племянница его.

— А что за мужик-то? — спросил Василий Петрович.

И Ваня уже открыл рот, чтобы ответить, но тут Алена не выдержала и воскликнула:

— Погоди, дайте-ка я сама угадаю: этот брат тетки Веры и был муж нашей Зыковой, с которым она до потери пульса судилась, пока не выбила себе содержание на старость?

— И он же — отец Наташи, — кивнул головой Ваня. — Около месяца назад мужик этот погиб вместе с молодой женой. А теперь, внимание всем, загадка! Когда Наташа, его дочь умерла, Зыкова, его первая жена умерла, и, наконец, тетка Вера, его сестра умерла, кто из наследников остался в живых?

Долго думать Алена не стала и тут же выпалила:

— Арина! Его племянница!

— Бинго!

— Так вот какого мужчину обсуждали во всех подробностях тетка Вера с Зыковой! — всплеснула руками Алена. — А я-то чуть голову себе не сломала, все удивлялась, откуда это у нашей тетки Веры, которая за всю жизнь решилась близко подпустить к себе единственного мужчину — отца Арины, вдруг появилась тема для обсуждения некоего мужчины с Зыковой. Даже подумала, неужели, Аришин отец тут каким-то образом замешан?

— Нет, я уверен, что они обсуждали бывшего мужа Зыковой и брата самой тетки Веры.

— Ну да, правильно, — пробормотала Алена. — Брат-то хоть у тетки Веры был и не родной, а двоюродный, но они долгое время жили в одной квартире. Наверное, тетка Вера видела своего брата и голышом, во всяком случае, в детстве точно видела.

— Он ведь был младше ее по возрасту, — подтвердил Ваня. — Значит, вполне могла видеть.

— Так что же... все эти убийства... они были совершены из-за денег?

— Да. Только из-за денег и их одних.

— И никто на доброе имя и репутацию Василия Петровича не покушался?

— Если вы про его политических оппонентов — то нет. Они все оказались людьми порядочными, играть привыкли честно. А вот ваша подружка...

— Сколько повторять, — простонала в ответ Алена, — Арина мне не подруга.

— Что же ты ее сегодня так защищала? — хмыкнул Василий Петрович.

Алена покраснела, а Ваня добавил:

— Ну, подруга она вам там или кто еще, а, во всяком случае, к нам-то в «Дубочки» Арина именно под этим лозунгом и пожаловала. Сначала ее мамаша, а потом и она сама.

Алена сделала последнюю попытку спасти свою приятельницу:

— Но все говорили об убийце-мужчине.

— Нет, не совсем верно. Говорили о рослом и физически сильном человеке. Лишь предположительно речь шла о мужчине. Что же, оказалось, что убийца — женщина. Бывает и такое.

— Ты что, хочешь сказать, что это Арина притащила в комнату своей матери мертвую Зыкову?

— Верно. Она это сделала.

— Сама?

— Сначала она Зыкову убила, а потом подняла на второй этаж ее тело.

— Как она только сумела! — поразилась Алена. — По отвесной стене... Арина совсем не выглядит такой уж силачкой.

— Может, и не выглядит, да только силища у девицы немаленькая. Вот вы, Алена Игоревна, не видели, как мои ребята пытались эту мамзель скрутить, а кабы видели, небось так бы сейчас не удивлялись. Вчетвером едва с ней справились, так-то вот!

— Но след от обуви огромного размера на подоконнике! — воскликнула Алена. — Ты сам сказал, что это был мужской след.

— Ничего странного, — принялся объяснять Ваня. — Выходя на дело, Арина гримировалась. Помните чемодан, который мы нашли с Чаром в лесу на импровизированной мусорной свалке?

— Там еще была всякая одежда, парики и грим.

— Все это принадлежало Арине. И ботинки, след которых я заметил на подоконнике в спальне тетки Веры, тоже были там. Нога у Арины достаточно крупная, она всего лишь подкладывала в носок мужского ботинка немного ваты, и пожалуйста, можно передвигаться в обуви на несколько размеров больше. Может, и не очень удобно, но зато максимальная маскировка обеспечена. И когда она поджидала Наташу, тоже замаскировалась под мужчину. Вот только, когда пришел через самой тетки Веры, тут Арине пришлось импровизировать и отказаться от любимого образа.

— Еще бы! Ведь ее чемоданчик к этому времени вы с Чаром нашли и забрали себе.

— И Арина нарядилась в мою юбку и шляпу! — воскликнула Алена.

— Она вообще большая любительница всевозможных переодеваний. Она и Зыкову в ночнушку своей матери переодела исключительно поэтому. Чувство юмора у девицы такое... своеобразное.

— Я всегда подозревала, что у Арины с головой что-то не так, — печально произнесла Алена.

— Вот видите, теперь вы и сами понимаете, какая подлая эта ваша подружка. Вас хотела подставить!

На этот раз Алена не стала возражать Ване, она лишь спросила:

— Но женщина на пленке была шире Арины в плечах в два раза, как такое возможно?

— Я вам прямо удивляюсь, Алена Игоревна, — покачал в ответ Ваня. — Уж ежели она ботинки на три размера больше своей ноги напялила, неужели ей трудно было тряпок под плечи и бедра напихать? Вообще плевое дело.

— Но зачем Арине понадобилось убивать свою маму?

— А две прочие жертвы вас не смущают?

— Почему Арина захотела убить Наташу, я могу понять: она стояла между Ариной и наследством. И Зыкову тоже понятно: при ее-то склочности и любви к сутяжничеству она могла попытаться оспорить в суде права Арины и ее матери на наследство.

— И даже наверняка бы так сделала. Зыкова была не из тех, кто упускает свой шанс.

— Тогда ее надо было устранить. Но тетку Веру-то за что?

— Боюсь, что за то же самое. Она стояла между Ариной и деньгами ее дяди. Сначала, думается мне, Арина и ее мать действовали дружно и сообща. Они приехали в «Дубочки» следом за Зыковой, чтобы обсудить ситуацию.

— А ситуация — это смерть Гребешкова?

— И раздел его наследства, — отозвался Ваня. — Сначала-то Арина с матерью пытались дело хитростью решить, убийство они на самый крайний случай приготовили. Но когда стало ясно, что ни Наташа, ни ее мать, ни тем более Зыкова от наследства отказываться не собираются, пришлось им действовать. Сама Арина и вовсе утверждает, что все это было исключительно задумкой ее матери, она и заставляла дочь выполнять свои инструкции. Но когда количество наследников сократилось до двух человек — ее и тетки Веры, — тогда Арина неожиданно подумала, что вполне может обойтись и без своей властной мамочки.

— Ну да, — пробормотала Алена. — Ведь по закону наследовать за Гребешковым должна была именно тетка Вера.

— Вот-вот! А как бы она потом распорядилась полученным наследством, еще неизвестно. Поделилась бы она со своей дочерью? А если поделилась, то когда и как? Вероятно, у Арины были опасения, что мать не захочет быть с ней щедрой при жизни. Вот она и упредила опасность, избавилась от конкурентки.

— И даже не посмотрела, что это ее родная мать! — ахнула Алена.

— Что поделаешь, — вздохнул Ваня. — Ваша знакомая вконец избаловала любовью свою дочь.

— Арине всегда все было дозволено, все ей разрешалось, — подтвердила Алена. — Тетка Вера твердила, что в лепешку расшибется, но вырастит из Арины маленькую принцессу.

— Вот и выросло из маленькой принцессы настоящее сказочное чудовище, — вздохнула Инга. — Змея о трех головах.

— И имя им хитрость, жадность и коварство.

Эту фразу произнес Игорь, и это были его первые слова с начала вечера. Поэтому все с недоумением уставились на него, но сам Игорь при этом смотрел на одну лишь Ингу. И кажется, его слова про хитрость и коварство предназначались тоже ей одной.

Но время откровенного разговора между ними двумя еще не наступило. У Алены были еще вопросы, которые она намеревалась задать Ване.

— И где сейчас находится Арина?

— В отделении. С ней по очереди беседуют Терентьев и его помощники.

— И что же? Она уже призналась?

У Алены была еще слабая надежда, что Арина сумеет придумать в свое оправдание какую-нибудь правдоподобную ложь, на что она была большая мастерица, но оказалось, что этот случай стал даже для Арины тупиковым.

— Конечно, призналась! Да и попробовала бы она не признаться! — хмыкнул Ваня. — Улик-то против нее предостаточно. А ваша Арина она хоть и подлая, но далеко не глупая. Так что она призналась во всех трех эпизодах.

— И как же ей удалось расправиться с Зыковой? Где она ее подкараулила?

— Вы не поверите, но Арина подошла к Зыковой прямо в клубе. Она узнала от своей матери, которая была с Зыковой в подружках, что жертва проведет всю ночь в клубе, и, переодевшись, прямиком направилась туда, где без труда познакомилась с Зыковой.

— И та ее не узнала?

— Арина была в гриме. В клубе полумрак. А Зыкова к тому же была уже порядком пьяна. — Это как же надо напиться, чтобы не узнать дочь своей приятельницы и бывшую родственницу!

— После ухода Василия Петровича огорченная Зыкова еще добавила несколько коктейлей, по словам очевидцев, она почти не держалась на ногах, ее спутнику приходилось ее поддерживать, чтобы Зыкова могла хоть как-то передвигаться.

Нет, она ее не узнала, вышла вместе с Ариной, и та без проблем расправилась со своей первой жертвой. То, что в этот вечер в клубе был также Василий Петрович, стало для преступницы дополнительным бонусом. У Арины сразу же возникла идея, как можно напоследок здорово насолить хозяевам «Дубочков».

— Невероятно, как она только доволокла тело Зыковой до усадьбы.

— Было бы желание. А оно у Арины, судя по всему, имелось. Она уже знала, что они с матерью больше не вернутся в «Дубочки», что жить они теперь будут в «Никитском». И решила оставить нам на прощание такой вот подарочек.

— Гадина она! — возмутилась Инга.

Ваня повернулся к ней и хмыкнул:

— Вы это, Инга, только сейчас поняли? Я лично осознал это уже давно.

— И Арина призналась во всех убийствах? — не сдавалась Алена. — И в убийстве Наташи тоже?

— Наташа и была их с матерью главной целью. Зыкова — это было так... на закуску. Основной жертвой была Наташа. Потренировавшись на Зыковой, Арина без труда расправилась с Наташей.

— Но Арина к этому времени уже жила с матерью в «Никитском».

— И что? От «Никитского» до «Дубочков» всего полчаса ходу хорошим шагом. Арина проделывала этот путь за ночь дважды.

— Но как ей удавалось удрать из усадьбы Антона Борисовича? Она ведь хорошо охраняется.

— Охранники тоже люди. Кто-то из них мог оказаться чувствительным к чарам такой красивой девушки, как Арина.

— Но все же три убийства... — пробормотала Алена. — Это уж слишком. Вы уверены, что все сделали правильно? Может, был кто-то еще, кого Арина покрывает?

— Понимаю ваше нежелание признать за факт, что ваша приятельница оказалась преступницей, но мы все сделали правильно. Да еще надо учитывать, что мы взяли Арину с поличным в момент покушения на жизнь Екатерины Павловны.

— Вот! — воскликнула Алена, поняв, что именно не давало ей покоя все это время. — Зачем Арине понадобилось нападать еще и на эту женщину? Екатерина Павловна ведь никак не могла считаться наследницей Гребешкова! Она никогда не была за ним замужем, а значит, даже его бывшей родственницей считаться тоже не могла. А нет родства — нет и наследства. Екатерина Павловна даже не могла наследовать за Гребешковым, зачем же ее убивать?

— А мы сделали так, что очень даже могла.

Ваня хитро улыбнулся в ответ и взглянул на Залесного, приглашая того все же поучаствовать в общем разговоре. На сей раз Залесный не уклонился от приглашения.

— Мы сфабриковали фальшивое завещание, нашли нотариуса, который согласился нам подыграть, и с его помощью проинформировали Арину о том, что ее дядя оставил завещание, в котором все свое состояние оставляет дочери, а в случае смерти дочери — ее матери в благодарность за счастливые часы, проведенные в ее обществе.

— А... А Арина? Ей что?

— А Арина пролетает мимо!

— То есть вы заставили Арину поверить в то, что все состояние Гребешкова должно было достаться Екатерине Павловне? — повторила Алена, до которой постепенно начал доходить замысел Вани.

— Не взаправду, но мы очень хотели, чтобы Арина в это поверила.

— Она и поверила, — пробормотала Алена. — И примчалась обратно в «Дубочки», чтобы избавиться от последней помехи, от Екатерины Павловны!

Теперь ей стала ясна картина произошедшего, и она взглянула на Ваню с невольным уважением. Ловко же он развел Арину! Приятельница попалась в сети, даже не подозревая о том, что они расставлены.

Ваня же в ответ лишь широко улыбнулся своей хозяйке:

— На том, что Арина будет спешить и не станет особенно осторожничать, и строился наш расчет.

— И все сработало. Арина поверила вашему вруну-нотариусу и решила довершить начатое. И нож...

Алена повернулась к Залесному:

— Нож, который ты мне показывал, это ведь было орудие убийства?

— Да. Эксперты в этом ничуть не сомневаются. И укус на ноге Арины совпадает со слепком челюстей ее матери. Плюс чемодан и вещи, которые нашел Чар. На ручке есть отпечатки пальцев Арины, на самих вещах тоже есть ее следы — ее пот и другие микрочастицы, которые доказывают, что этими вещами она пользовалась.

— Невероятно, — пробормотала Алена. — Арина — убийца. Да еще она убила свою мать — тетю

Веру! Когда я расскажу об этом моей маме, она мне не поверит.

Однако теперь она сама уже не могла не верить своим друзьям. Виновность Арины не подлежала сомнению. И Алена лишь хотела уточнить некоторые обстоятельства.

— Но как Арине удалось совершить сразу три убийства и при этом ни разу не попасть под подозрение?

— Ей на руку сыграло то обстоятельство, что мы все время подозревали в убийствах мужчину, — смущенно ответил Ваня. — Молодая симпатичная девушка, пусть даже и высокая, не вызывала у нас подозрений. Хотя я мог бы догадаться! Должен был это сделать!

— Ты? — удивились все. — Почему именно ты?

— Потому что я ведь какое-то время встречался с Ариной.

Произнеся эту фразу, Ваня покосился на Ингу. Но она восприняла это известие равнодушно, зато Залесный неожиданно просиял. Но на него Ваня не смотрел, поэтому не заметил странной реакции.

И уныло продолжил:

— Так вот, когда я за Ариной волочился от нечего делать, то как-то раз видел рядом с ней какого-то мужика. То есть я думал, что это мужик, а на самом деле это она и была. Только переодетая!

— Ты что? Следил за ней?

— Ну, было пару раз, — отозвался Ваня. — А что? Должен же я был проверить, честна ли она со мной?

— Плохо же ты проверял.

— Я не предполагал, что она убийца, — оправдывался Ваня, — поэтому и не усердствовал особо. Думал, что девка просто за нос меня водит, дурачит. Говорит, что я ей нравлюсь, а сама, как стемнеет, шмыг из дома и в лесок — под кусток. А потом из леса какой-то мужик выходит.

— Значит, ты видел, как Арина переодевалась в мужское обличье, но не проследил за ней в этом обличье?

— Хотел, — признался Ваня. — Да не сумел.

— А когда это было?

— Как раз в тот вечер, когда Зыкову убили.

Никто ничего не сказал Ване в ответ. Все сокрушенно молчали, потому что понимали: если бы Ваня проявил в тот вечер чуть больше ловкости, чтобы перехватить того, кого он счел своим соперником, то всех трех жертв, вероятно, удалось бы избежать. Напуганная Арина не посмела бы отправиться на убийство Зыковой. Вряд ли отважилась бы она и на убийство Наташи. И уж конечно, не тронула бы свою мать.

Алена наморщила лоб:

— Но все-таки я не пойму, что же понадобилось тетке Вере в ту ночь в сторожке возле фруктового сада? Зачем она туда вообще пошла?

— У них с Ариной там была назначена встреча. Арина сама ее назначила.

— Чтобы убить тетку Веру?

— Да. Но мать этого не знала, не могла знать. Она доверяла дочери. Так что тетя Вера явилась в условленное место, даже не поинтересовавшись толком, почему Арина хочет встретиться с ней именно там. Ну а Арина воспользовалась доверием матери... Сами знаете как.

— А зачем после убийства матери Арина позвонила в полицию? Это ведь она звонила?

— Да, она. Измененным голосом сообщила о совершенном ею же убийстве.

— И зачем?

— Все очень просто. Арине было нужно, чтобы полицейские зафиксировали смерть ее матери. Она боялась, что иначе Никитин и его люди могут надежно спрятать тело потерпевшей, так что его никто и никогда не найдет.

— Но почему для Арины это было так важно?

— Арине позарез было нужно получить свидетельство о смерти матери. Только в этом случае она становилась наследницей своего дяди.

Все было просто, логично и в то же время очень и очень гнусно. Все невольно примолкли и задумались о том, что же за черви должны жить в сердце у молодой женщины, если она ради денег готова отправить на тот свет родную мать.

Но у Алены уже созрел еще один вопрос, последний.

— А если тетка Вера и Арина рассчитывали на наследство Гребешкова, и наследство, судя по всему, большое...

— Огромное, — подтвердил Ваня с таким удовольствием, словно это он сам должен был стать наследником Гребешкова.

— Тогда зачем тетка Вера просила у меня деньги якобы на обучение Арины?

— Ну, во-первых, она надеялась, что вы откажете, и это даст ей повод для ссоры. Вы ей отказали, и она ушла так, что заставила вас почувствовать себя виноватой. А еще ей был нужен повод, чтобы перебраться в «Никитское». Дело в том, что ваша знакомая еще раньше свела дружбу с Никитиным. И узнав, что он холостяк, решила переселиться к нему поближе. Никитин показался ей легкой добычей. Она рассчитывала, что одним ударом и расквитается с вами, и, если повезет, дочь захомутает выгодного жениха.

— За что же со мной-то квитаться? И я, и особенно моя мама всегда были добры к тетке Вере и Арине. Всем им помогали.

— Так за это она вам и хотела отомстить! Неужели не ясно: для вашей знакомой, когда кто-то добр и великодушен, такой человек словно кость в горле. Так и хочется ему насолить, что она и попыталась сделать.

Что же, теперь Алене было ясно абсолютно все. Свое любопытство она вполне удовлетворила. Пришла пора дать возможность объясниться друг с другом кое-кому другому. Покосившись на Ингу и Залесного, которые все еще стояли поодаль с таким выражением лиц, словно вовсе не были знакомы между собой, Алена произнесла:

— Вася... Ваня... Пойдемте со мной.

— Куда?

— К скайпу. Прямо не знаю, как маме буду обо всем этом рассказывать, — вздохнула Алена. — Хочу, чтобы вы стояли рядом и подтверждали каждое мое слово.

Василий Петрович попытался увильнуть от этой почетной обязанности, но Алена была настороже и крепко вцепилась в мужа. Ваня сопротивляться даже не стал. Как человек подневольный, он был готов выполнить очередное приказание своей хозяйки, пусть даже и такое опасное.

Инга и Залесный остались наедине. Какое-то время они молчали. А когда заговорили, то сделали это одновременно:

— Послушай...

— Слушай...

И снова смущенно умолкли вдвоем.

— Ты что-то хотел сказать?

— Нет, говори ты первая.

Инга помялась, а потом внезапно решилась:

— Ты приехал в «Дубочки», потому что Ваня тебя об этом попросил?

— Я приехал, потому что хотел увидеть тебя.

Сердце Инги сделало бешеный скачок в груди и снова замерло.

— А... а зачем?

— Ты не рада?

— Если честно, то нет.

И видя, как помрачнел Игорь, она поспешила объяснить:

— Я думала, что ты приедешь, чтобы сказать, что любишь меня. А ты приехал по делу.

— Да по какому-такому делу? — воскликнул Залесный. — Ты и есть мое единственное дело в этих «Дубочках»! И если хочешь знать, то я приехал, надеясь, что смогу забрать тебя домой.

Сердце у Инги застучало часто-часто. Но она не подала виду, до чего рада услышать слова Игоря. Скорчила нарочито равнодушную гримасу и осведомилась:

— Так ты по мне соскучился?

— Можно сказать и так.

— Я что-то не поняла.

— Что ты не поняла? Мне без тебя плохо. Так яснее будет?

— Плохо конкретно без меня или без моей опеки? Без чистых носков и вкусных супов? А?

— Если уж говорить совсем честно, то без этих твоих протертых супчиков я бы охотно обошелся. Ну а стирать носки — это я научился и сам. Невелика премудрость — засунуть их раз в неделю в стиралку да нажать кнопку.

— Еще нужно положить стиральный порошок.

— В самом деле?

Залесный казался озабоченным. А потом он неожиданно ухмыльнулся.

— А ведь про порошок-то я в самом деле и забыл! Еще удивлялся, чего это носки так плохо отстирались? Представляешь, даже запах, и тот не исчез!

Инга смотрела на него и не знала, плакать ей или смеяться над этим недотепой. И что ей делать с таким непутевым мужиком? Вот Ваня — тот совсем другой. Инга бывала в гостях у Вани и хорошо помнила безукоризненные ряды чисто выстиранных и даже отглаженных носков, которые лежали у него на полках в шкафу. И ведь что интересно, своих многочисленных пассий Ваня к своим домашним делам никогда не подпускал. Он был старомоден и считал, что если встречается с женщиной, то встречается с ней именно как с женщиной, а не как с посудомойкой, прачкой или уборщицей.

И почему же в таком случае Ингу так тянет к неряхе Залесному, полностью поручившему ей заботу о быте, и совсем не тянет к старательному и аккуратному Ване? Тут была какая-то очень сложная загадка, ответа на которую, как подозревала Инга, она не найдет уже никогда.

— Значит, ты приехал не по просьбе Вани, ты приехал за мной?

— Да. И учти, если бы даже Ваня мне не позвонил, я бы все равно приехал.

— И ты хочешь, чтобы я вернулась с тобой?

— Очень хочу!

— Хорошо, но только у меня есть два условия.

Судя по выражению лица Залесного, он надеялся, что обойдется без ультиматумов. Но, видимо, воспоминания о тоскливых днях без Инги были еще свежи в его памяти, он не хотел, чтобы они повторились, и поэтому смиренно произнес:

— Все, что ты захочешь.

— Нет, не все, что захочу, а конкретно две вещи. Первое — мы с тобой занимаемся хозяйственными делами по очереди.

— Это как? Один день ты, другой — я?

— Не совсем. Это если ужин готовлю я — посуду после него моешь ты. Я вытираю пыль — ты подметаешь пол.

— А можно наоборот?

— Можно. Но суть от этого измениться не должна. Ты меня понял?

— Ты это так серьезно говоришь. Я уже начинаю тебя бояться.

— А потерять меня ты, похоже, не боишься?

— Боюсь еще больше, — признался Залесный. — Знаешь, когда ты уехала в эти «Дубочки», я сразу же подумал про этого Ваню. Вдруг ты к нему уехала? Вдруг я тебе надоел и ты предпочла мне другого? И так мне худо от этой мысли сделалось, хотел сразу же за тобой мчаться. Но потом подумал: а кто я такой, чтобы отговаривать тебя? Что я могу тебе дать? Ведь если сравнивать меня с Ваней, то я просто ничтожество, пустое место. С ним тебе будет гораздо лучше. Как мне ни плохо без тебя, но я не должен тебе мешать строить новые отношения.

— Ты так подумал? И поэтому не звонил мне?

— Ну да. И я бы не позвонил, да Ваня мне сам позвонил, сказал, чтобы я приехал. Я решил, что это он хочет позлорадствовать, насладиться моим унижением.

— Каким же унижением?

— Ну, что вы теперь с ним вместе. Легко ли мне это будет видеть?

Инга смотрела на Залесного и понимала, что каша у него в голове варится еще большая, чем у нее самой. И тараканы, судя по разговору, в этой каше водятся еще жирнее.

— И когда он мне позвонил, я подумал: будь что будет. Поеду! Пусть даже вы теперь вместе, лучше я сам это увижу, пожелаю тебе счастья и... и уеду.

Голос у Залесного дрожал. Инга видела, что впервые за долгое время он не шутит. Для него все очень серьезно. И неожиданно поняла, что Залесный любит ее ничуть не меньше, а может, даже и больше, чем она его.

— Дурачок ты, — нежно произнесла она. — Ничего у нас с Ваней не было и быть не могло. Ведь я его совсем не люблю.

— Но он куда лучше меня.

— Знаешь, кто лучше, а кто хуже, предоставь решать мне самой. Ладно?

— Ладно. Договорились.

— И еще одно: ты проводишь со своими друзьями от силы одни выходные в месяц. Три других уик-энда принадлежат мне!

— Согласен на все, — отозвался Залесный, смеясь. — И как ты только не боишься, что я могу счесть твои условия слишком жесткими и оставить тебя тут же?

— Нет, не боюсь, — откровенно улыбнулась ему в глаза Инга. — Теперь я уверена, что ты меня любишь. И значит, могу вытворять все, что захочу.

— Откровенно, ничего не скажешь!

— А чего мне стесняться. Ты же меня любишь? Значит, простишь даже такую откровенность.

— И долго так у нас с тобой будет продолжаться?

— До тех пор, пока ты меня любишь. А значит, всегда!

— Что же, похоже, я попал, — печально признался ей Залесный, но глаза у него смеялись.

Раскрыв объятия, он весело сказал Инге:

— Ну, иди же ко мне, моя строптивица. И к чему был весь этот разговор? Ты ведь отлично знаешь, что ничего из продиктованных тобой условий не сбудется. Все останется как прежде.

— А это мы еще посмотрим. И учти: теперь я знаю твою слабинку и не постесняюсь ею воспользоваться.

И Инга впорхнула в объятия любимого. Пусть только Залесный попробует отказаться от данных Инге обещаний! Как бы она его ни любила, но прежней халявной жизни для него больше не будет. Это так же точно, как и то, что он жить без нее не может.

Но если примирение с Залесным наступило сравнительно легко, то подобрать слова, чтобы проститься с Ваней, у Инги не получалось очень долго. Она никак не могла придумать, что бы такое сказать Ване, чтобы, с одной стороны, остаться у него в сердце навечно или по крайней мере на максимально долгий срок, а с другой — чтобы Ваня понял, что надеяться ему не на что.

На ее счастье, Ваня сам все сказал. Когда на следующий день они с Залесным уже стояли, что называется, с вещами на выход, возле дома затормозила Ванина машина, а минуту спустя из нее вышел и сам начальник службы безопасности поселка.

— Уезжаете, да, Инга?

Учитывая наличие чемоданов и сумки, которые стояли рядом с Ингой, вопрос был более чем резонный.

Но Инга лишь кивнула головой и ответила:

— Уезжаю, да.

Ваня помялся возле нее. Ему явно хотелось поговорить с нею наедине, но мешал Залесный, который маячил рядом. Хорошо еще, что Алена догадалась и под каким-то предлогом отвела Игоря в сторонку, дав Инге возможность проститься с Ваней без помех.

— Наверное, вы удивляетесь, чего это я вашему Игорю позвонил и к нам его позвал, да, Инга?

— Ничего я не удивляюсь. Он был тут нужен для расследования.

— Никому для расследования он тут не был нужен, — почти сердито отозвался Ваня. — Вам он был нужен, вот что!

— Мне?

— Ну да, вам, — мрачно ответил Ваня, ковыряя носком ботинка тщательно утрамбованную гранитную крошку, которой был засыпан весь двор перед зданием усадьбы. — Я же видел, как вы томились без своего красавчика.

Кинув на Ингу полный страдания взгляд, он с досадой буркнул:

— И чем он вас только взял, понять не могу!

Ах, если бы сама Инга это знала! Но, увы, она была так же не способна ответить на этот вопрос, как и сам Ваня.

Но Ваня не зря столько лет любил Ингу. Он не стал ее долго мучить. Наклонившись к ней, он чмокнул воздух возле ее щеки и быстро пошел обратно к своей машине. Ехать с ней и Залесным на станцию и, еще чего доброго, махать вслед поезду, увозящему его любовь и счастливого соперника, было выше сил мужественного воина.

Впрочем, Инга недолго упивалась собственной значимостью. Когда Ваня приоткрыл дверцу своей машины, взгляд Инги различил в глубине салона стройные женские ножки. Должно быть, и все остальное тоже находилось там же. Так что куснувшая было Ингу совесть тут же совершенно успокоилась. А сама Инга взглянула на подошедшего к ней Залесного с куда большей теплотой, чем чувствовала к нему всего одно мгновение назад.

Но у того, оказывается, назрело предложение.

— Я думаю, будет справедливо, если ты мне тоже кое-что пообещаешь, — произнес Залесный, обнимая Ингу.

— И что же?

— Когда в следующий раз я тебя чем-нибудь взбешу, не уходи с такой решительностью. Я чуть не умер, когда дверь за тобой захлопнулась.

— Сам виноват, — ответила Инга, сама ужасаясь своей бессердечности.

И чтобы она не так бросалась в глаза, Инга очень крепко и от всей души поцеловала своего Залесного в щеку. И не в какой-то там воздух возле его лица чмокнула, как давеча сделал это Ваня, а запечатлела на впалой щеке Залесного отчетливый рисунок своих губ.

Пусть теперь никто в целом мире не посмеет сомневаться в том, что этот соблазнительный мужчина принадлежит ей и только ей одной!

<small>ЛИТЕРАТУРНО-ХУДОЖЕСТВЕННОЕ ИЗДАНИЕ</small>

ДЕТЕКТИВ-ПРИКЛЮЧЕНИЕ Д. КАЛИНИНОЙ

Калинина Дарья Александровна

ПОЛУНОЧНЫЙ ТАНЕЦ КЕНТАВРОВ

Ответственный редактор *О. Рубис*
Редактор *М. Красавина*
Художественный редактор *С. Прохорова*
Технический редактор *И. Гришина*
Компьютерная верстка *Е. Коптева*
Корректор *Е. Савинова*

ООО «Издательство «Эксмо»
123308, Москва, ул. Зорге, д. 1. Тел. 8 (495) 411-68-86, 8 (495) 956-39-21.
Home page: **www.eksmo.ru**   E-mail: **info@eksmo.ru**

Өндіруші: «ЭКСМО» АҚБ Баспасы, 123308, Мәскеу, Ресей, Зорге көшесі, 1 үй.
Тел. 8 (495) 411-68-86, 8 (495) 956-39-21
Home page: www.eksmo.ru   E-mail: info@eksmo.ru.
Тауар белгісі: «Эксмо»
Қазақстан Республикасында дистрибьютор және өнім бойынша
арыз-талаптарды қабылдаушының
өкілі «РДЦ-Алматы» ЖШС, Алматы қ., Домбровский көш., 3«а», литер Б, офис 1.
Тел.: 8 (727) 2 51 59 89,90,91,92, факс: 8 (727) 251 58 12 вн. 107; E-mail: RDC-Almaty@eksmo.kz
Өнімнің жарамдылық мерзімі шектелмеген.
Сертификация туралы ақпарат сайтта: www.eksmo.ru/certification

Сведения о подтверждении соответствия издания
согласно законодательству РФ о техническом регулировании
можно получить по адресу: http://eksmo.ru/certification/

Өндірген мемлекет: Ресей
Сертификация қарастырылмаған

Подписано в печать 10.10.2014. Формат 84x108 1/32.
Гарнитура «Newton». Печать офсетная. Усл. печ. л. 16,8.
Тираж 2000 экз. Заказ А-2733.

Отпечатано в типографии филиала ОАО «ТАТМЕДИА»
«ПИК «Идел-Пресс». 420066, г. Казань, ул. Декабристов, 2.

ISBN 978-5-699-77081-6